RÉUSSIR PAR LA NÉGOCIATION

LES ÉDITIONS QUEBECOR
une division de Groupe Quebecor inc.
4435, boul. des Grandes Prairies
Montréal (Québec)
H1R 3N4

Distribution : Québec Livres

Dépôt légal, 3e trimestre 1990

Bibliothèque nationale du Québec
Bibliothèque nationale du Canada
ISBN 2-89089-786-9

Conception et réalisation graphique
de la page couverture : Bernard Lamy

Révision : Lynda Therrien
Correction d'épreuves : Camille Gagnon

Impression : Imprimerie l'Éclaireur

Jean H. Gagnon

RÉUSSIR PAR LA NÉGOCIATION

Domaine
personnel
professionnel
TRANSACTIONS
IMPORTANTES

TABLE DES MATIÈRES

Introduction 11

Chapitre 1
Le but véritable de la négociation 21

1. Ce qu'est la négociation 21
2. Trois fausses croyances concernant le but de la négociation 22
3. Quel est le but véritable d'une négociation? 29

Chapitre 2
Visez haut et obtenez plus 37

1. Dois-je demander plus que je ne veux ou être raisonnable dès le départ? 37
2. Une attente est plus qu'un désir 40
3. Nos attentes sont souvent sous-évaluées 41
4. Demande exorbitante ou demande raisonnable 43

Chapitre 3
Satisfaire les intérêts et délaisser les positions 51

1. La position : un intérêt exprimé de façon limitative 51
2. La négociation-compétition ou comment viser juste sans voir la cible 53
3. La recherche de l'intérêt ou comment découvrir le trésor caché 55

Chapitre 4
Obtenez plus que votre meilleure alternative à la solution négociée 63

1. La meilleure alternative à la solution négociée comme balise du négociateur 63
2. L'identification et l'évaluation de sa meilleure alternative à la solution négociée 67

3. À la recherche maintenant de la meilleure alternative à la solution négociée de son protagoniste 73

4. Modifier sa meilleure alternative à la solution négociée ou celle du protagoniste 74

5. Le travail préalable est un élément primordial du succès du négociateur 75

Chapitre 5
Rechercher la meilleure solution parmi plusieurs options 79

Chapitre 6
Faites des hypothèses mais ne vous y fiez pas 87

1. Le monde intrigant des hypothèses 87

2. La réalité des choses peut être différente selon l'angle sous lequel elles sont perçues 91

3. Faire des hypothèses mais ne pas s'y fier 99

4. Vérifier les hypothèses majeures 101

Chapitre 7
Les deux clés du succès : la planification et la préparation 103

1. La planification 106

2. La préparation 120

3. L'importance du travail préparatoire 127

Chapitre 8
Le rapport de force : un phénomène de croyance 131

1. Les sources du rapport de force externe 132

2. Les sources du rapport de force interne 141

3. Comment minimiser l'impact négatif d'un rapport de force défavorable 144

4. Le rapport de force : y croire ou s'y préparer ... 145

Chapitre 9
L'art de faire des concessions : pas combien mais comment 147

1. Les concessions mal planifiées peuvent être coûteuses 147
2. Faire une première offre raisonnable qui laisse une certaine marge de manoeuvre 152
3. Vos concessions doivent être difficiles à obtenir . 153
4. Planifier ses concessions dans une séquence logique 154
5. Attention aux délais 156
6. Bien suivre l'évolution des concessions 156
7. Adapter ses concessions à l'intérêt de l'autre partie 158

Chapitre 10
Une bonne communication = une bonne négociation 159

1. Bien choisir ses outils de communication 160
2. L'écoute active ou comment bien comprendre ... 164
3. Les questions 169
4. Le maintien d'une bonne relation de travail 175
5. Les tactiques : des armes surestimées 178
6. Bien paraître ou bien réussir : voilà la question .. 180
7. Les principales règles d'une bonne communication 181

Chapitre 11
Adapter sa communication à la personnalité de l'autre partie 183

1. Les catégories de personnalité 183
2. Le pragmatique 185
3. L'extraverti 186
4. Le conciliateur 187
5. L'analytique 189

6. Adapter votre communication à la personnalité du destinataire 190
7. La pratique de la négociation adaptée 192

Conclusion
Les dirigeants de demain seront avant tout de bons négociateurs 193

INTRODUCTION

Depuis qu'Ève a convaincu Adam de croquer dans le fruit défendu, la négociation est omniprésente dans la vie de tous les humains.

On négocie à partir des quelques premières heures qui suivent notre naissance alors que, par nos cris, nous réclamons nourriture et changement de couches, jusqu'aux dernières heures de notre présence sur terre.

Nous négocions aussi autant dans notre vie personnelle que dans notre vie professionnelle que ce soit pour choisir nos sorties et nos vacances, répartir des tâches, obtenir une augmentation de salaire, changer d'emploi, régler des difficultés avec notre conjoint ou nos enfants, acheter ou vendre des biens ou requérir ou offrir des services.

Cependant, malgré que les humains négocient continuellement entre eux depuis des millénaires, leur façon de négocier a peu évolué jusqu'au début des années 50.

Jusqu'alors, l'intuition, le goût du risque et la personnalité des protagonistes ainsi que le rapport de force entre eux et l'intérêt de chacun pour une solution négociée ont été les principaux facteurs en cause.

De plus, la comparaison entre les concessions faites et celles obtenues était le principal critère d'évaluation du succès ou de l'échec de chacune des parties impliquées dans une négociation.

En fait, il faut reconnaître que, dans cette conception traditionnelle de la négociation, l'échange entre les négociateurs était perçu comme une compétition de laquelle devait absolument sortir un gagnant et un perdant.

L'on croyait alors, et souvent à tort, qu'un gain obtenu par un protagoniste l'était toujours aux dépens de l'autre et que le succès ou l'échec de la négociation était mesuré en fonction directe des gains et pertes respectifs de chacun.

Aussi, il ne faut pas se surprendre que le verbe, les arguments, les positions fermes, les tactiques (loyales et déloyales), les coups d'éclat, les menaces et le chantage étaient monnaie courante.

L'autre n'était-il pas un adversaire qu'il fallait vaincre? Et la guerre n'autorise-t-elle pas l'usage de moyens que l'on n'utiliserait jamais en temps de paix?

Cependant, et heureusement, l'accroissement des rapports humains et commerciaux, l'utilité d'établir et de maintenir des relations stables et harmonieuses et l'augmentation de la rapidité des échanges et des communications en ont amené plusieurs, dans les années qui ont suivi la seconde guerre mondiale, à s'interroger sérieusement sur la validité et sur les effets de ce type de négociation.

En effet, des analyses de l'expérience vécue (ainsi que quelques recherches effectuées en matière de communication) ont commencé à laisser transparaître certaines faiblesses fort pratiques au niveau des résultats obtenus par cette négociation-compétition.

Les principales faiblesses ainsi relevées ont été :

a) l'impact négatif qu'elles avaient sur les relations entre les parties

Le haut degré de confrontation qui caractérise ce type de négociation peut effectivement avoir un impact négatif sur les relations entre les parties, impact qui est acceptable si les parties ne doivent plus jamais avoir de relation entre elles mais qui peut rendre très difficile toute nouvelle négociation, notamment celle qui pourrait être requise pour donner effet à l'entente ou pour la modifier en raison de circonstances nouvelles.

Cet impact est d'autant plus grand lorsque le rapport de force entre les parties se modifie.

Ainsi, un acheteur qui profite à l'extrême à l'encontre de ses fournisseurs d'une situation où l'offre est beaucoup plus grande que la demande pourra se voir placé dans une situation difficile lorsque la situation se modifiera.

Par exemple, si l'acheteur négocie alors le plus bas prix possible avec ses fournisseurs quitte même à leur faire vendre leurs produits sans profit et s'il utilise des tactiques plus ou moins loyales pour leur soutirer tous les avantages qu'il peut obtenir dans cette situation, ceux-ci peuvent devenir beaucoup moins enclins à lui consentir un prix de faveur ou un traitement préférentiel lorsqu'ils se retrouveront eux-mêmes en position plus favorable.

Dans ce contexte, et dans le cadre de relations à long terme, l'on peut légitimement se demander si l'acheteur ne serait pas mieux, tout en négociant de bonnes conditions, de rechercher le maintien d'un certain équilibre et d'une certaine équité dans ses relations qui pourraient lui être beaucoup plus bénéfiques à long terme que le profit à court terme réalisé par une utilisation excessive du rapport de force du moment.

Par une utilisation excessive d'un rapport de force favorable à ce moment, celui qui a obtenu des gains importants lors d'une première négociation peut très bien alors se retrouver le grand perdant à long terme. Il aura peut-être gagné une bataille mais il sera peut-être aussi le grand perdant de la guerre.

b) les difficultés d'application de l'accord

À compter du moment où une partie estime s'être fait avoir lors d'une négociation ou avoir dû céder à des pressions indues ou, de façon plus générale, avoir perdu (que cela soit réel ou non), sa collaboration subséquente au respect de l'accord et à son application efficace sera limitée.

Ainsi, les gains obtenus par l'autre pourront éventuellement être sérieusement compromis par ce manque de collaboration à un point tel que les parties pourront, en définitive, se retrouver toutes deux perdantes.

c) un encadrement trop serré dans la recherche d'un règlement

À cause de cet échange de positions, d'offres, de contre-offres, de contre-contre-offres, d'offres finales et définitives, etc., les négociateurs ont souvent tendance, dans cette négociation-compétition, à rechercher un compromis qui se situe à l'intérieur d'une ligne droite dont les extrémités sont constituées des offres ou positions initiales de chacun, un peu de la façon suivante :

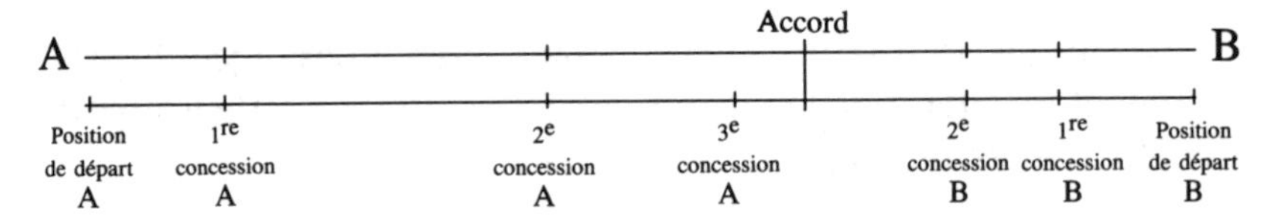

Ce processus limite la recherche de solutions qui pourrait intégrer d'autres éléments ou modifier certaines variables qui n'apparaissent pas clairement dans les positions initiales exprimées par chacune des parties à la négociation.

La méfiance qui caractérise par ailleurs ce type de rapport rend difficile la recherche des véritables intérêts et besoins des parties au-delà des intentions exprimées par les positions, lesquelles peuvent d'ailleurs être basées beaucoup plus sur l'usage de tactiques que sur l'expression d'une volonté sincère.

d) l'inefficacité du temps investi

Même si la quantité de temps investi dans une négociation conflictuelle n'est souvent pas plus importante, en termes absolus, que celle qui serait investie dans une négociation coopérative (que nous verrons plus loin), l'on s'est aperçu que ce temps était généralement investi dans des activités beaucoup moins productives de résultats valables.

Ainsi, l'on consacrera beaucoup de temps à élaborer des stratégies et des tactiques, à camoufler certains faits ou ses besoins réels, à tenter de deviner par l'analyse ce que l'autre veut véritablement (puisque l'on ne lui fera pas confiance), etc.

Il est apparu que ce temps pourrait être utilisé de façon beaucoup plus efficace si les parties décidaient d'échanger entre elles sur une base plus ouverte, en se vouant une certaine confiance respective, leurs préoccupations, leurs besoins, leurs intérêts et si elles tentaient vraiment de trouver la solution qui puisse, pour les deux, les satisfaire le mieux possible.

e) *l'absence de fondement et de critère d'évaluation objectif*

Une partie importante de l'évolution des sciences de la gestion depuis le début du XXe siècle est due à la découverte par les gestionnaires de la nécessité d'établir des objectifs précis et de planifier les différentes ressources de l'entreprise afin de les atteindre.

Dans ce cadre, l'on mesure le succès ou l'échec de l'entreprise en comparant ses performances réelles aux objectifs qu'elle s'est fixés.

Naturellement, ces objectifs doivent être eux-mêmes réalistes et basés sur des données empiriques et vérifiables (données historiques, évolution des coûts, estimés, études de marché, analyses de production, etc.).

Le même phénomène de gestion par objectifs s'est ensuite traduit au niveau de la gestion des ressources humaines. En effet, on s'est vite aperçu qu'il était beaucoup plus productif, efficace et valorisant d'évaluer la performance d'une personne en la comparant avec les objectifs convenus d'avance avec elle que par une comparaison avec la performance d'une autre personne.

Ceci présente aussi l'avantage important de réduire de beaucoup le niveau de compétition et de conflits internes dans l'entreprise.

Malgré que ces constatations soient aujourd'hui universellement reconnues dans le domaine de la gestion des entreprises et des ressources humaines, et que plusieurs les utilisent également afin de mieux réussir leur carrière et leur vie en général, le résultat des négociations est encore trop souvent évalué strictement en comparaison avec le résultat obtenu par l'autre partie.

Lors de recherches, l'on s'est vite aperçu que, trop souvent, le seul objectif du négociateur était d'obtenir un meilleur résultat que l'autre (c'est-à-dire «gagner») et que celui-ci n'avait d'autre fondement ni critère de réussite que celui de réussir mieux que l'autre.

Ce mode d'évaluation a pour effet de limiter les négociateurs à une approche «je gagne — tu perds» où chaque gain de l'un doit nécessairement être une perte pour l'autre.

Or, tel n'est pas le cas.

Pour illustrer ce propos, prenons l'exemple suivant :

Vous arrivez dans une pièce où deux jeunes adolescentes se disputent amèrement une orange. Après avoir fait une évaluation sommaire de la situation, vous décidez d'agir en Salomon. Vous prenez l'orange, la coupez en deux et remettez la moitié à chacune des demoiselles. Or, une fois cette répartition faite, vous vous apercevez que l'une enlève et jette l'écorce de l'orange pour manger le fruit alors que l'autre enlève l'écorce de l'orange, jette le fruit et utilise l'écorce pour compléter une recette de gâteau.

Ceci connu, la solution choisie demeure-t-elle aussi équitable? N'aurait-il pas été plus satisfaisant pour les deux parties si vous vous étiez tout d'abord informé sur la nature de leurs besoins face à l'orange et, constatant que l'une désirait le fruit alors que l'autre désirait l'écorce, que vous ayez convenu avec elles de peler l'orange, de laisser la totalité de l'écorce à l'une et de laisser la totalité du fruit à l'autre?

Bien que simpliste à première vue, cet exemple illustre bien qu'il est parfois possible de mieux satisfaire les intérêts des parties si nous prenons le temps de les comprendre plutôt que de nous arrêter sans vérification à une solution qui en soit une de compromis entre deux positions initiales, comme trancher l'orange en deux comme compromis à la demande de chacune d'avoir l'orange au complet.

Il est donc apparu nécessaire aux chercheurs de rechercher un moyen de sortir de ce piège dans lequel s'enfermaient malgré eux les négociateurs-compétiteurs dans ce jeu de concession et de compromis à partir des positions de départ de chacune des parties.

Malgré ses faiblesses, la négociation-compétition ne doit cependant pas être écartée du revers de la main. En effet, même aujourd'hui, ce mode de négociation demeure approprié dans certains cas (heureusement de plus en plus limités).

Essentiellement, la négociation-compétition pourra être utile lorsqu'il s'agit de transactions simples à exécution immédiate (par exemple, la vente d'un objet physique dont nous prenons immédiatement possession) avec une ou des personnes avec lesquelles nous n'aurons plus jamais à faire affaires (par exemple, lorsqu'il s'agit d'acheter un souvenir à la fin d'un voyage à l'étranger).

Cependant, afin de faire évoluer l'art et la science de la négociation, plusieurs chercheurs et praticiens ont commencé, dans les années 50, à expérimenter puis à adopter une nouvelle approche de négociation que l'on connaît aujourd'hui sous le vocable de «négociation coopérative».

La grande caractéristique de cette nouvelle méthode est son approche de base d'une divergence comme étant non pas la base d'un conflit où une partie doit gagner et l'autre perdre, mais plutôt comme un problème commun à résoudre auquel les négociateurs doivent rechercher la meilleure solution pour tous les protagonistes.

De cette façon, les négociateurs deviennent, entre eux, des partenaires plutôt que des adversaires et l'échelle d'évaluation du succès de la négociation devient la satisfaction des intérêts légitimes des parties (et non pas de leurs positions initiales) par l'établissement de la meilleure solution possible.

On parlera alors d'une approche «gagnant-gagnant».

La différence majeure entre la négociation conflictuelle et la négociation coopérative ne se limite cependant pas à leurs fondements théoriques; la pratique de la négociation coopérative nécessite une approche et des techniques fort différentes de celles requises pour la négociation conflictuelle. C'est ce que nous verrons dans ce livre.

Après avoir moi-même pratiqué la négociation coopérative depuis de nombreuses années autant dans l'exercice de ma profession que dans ma vie personnelle (sans pour autant m'interdire l'utilisation occasionnelle de la négociation conflictuelle lorsque je l'estime utile), je crois être aujourd'hui en mesure de témoigner de la nette supériorité de la négociation coopérative sur la négociation conflictuelle dans la très grande majorité des cas.

Cette supériorité se manifeste autant dans la qualité des résultats obtenus que dans le maintien d'une relation positive entre les parties (qui sera fort utile lorsque viendra le temps d'appliquer l'accord ou d'entreprendre de nouvelles négociations) et d'une nette valorisation du travail des négociateurs qui tirent une saine satisfaction d'avoir recherché et vraisemblablement trouvé la meilleure solution pour toutes les parties concernées.

Un petit mot de mise en garde cependant avant que vous n'attaquiez le chapitre 1.

Même si elle est aujourd'hui appuyée par de nombreuses expériences, recherches, études et théories, la négociation demeure un art qui s'apprend tout d'abord par la pratique.

Aussi, et bien que je tenterai de vous livrer les rudiments importants de cet art, il n'en demeure pas moins que, pour devenir un meilleur négociateur, il vous faudra pratiquer et savoir tirer des leçons autant de vos échecs que de vos succès.

Ainsi, l'utilisation de plusieurs techniques que nous verrons ci-après, bien que fort efficace dans les circonstances adéquates, peut être inappropriée dans d'autres situations. Le choix et la méthode d'utilisation des stratégies et techniques de négociation constituent souvent un aspect délicat pour lequel rien ne peut remplacer un jugement basé sur le bon sens.

Je vous invite donc à faire preuve de discernement dans l'utilisation de toute technique de négociation et à perfectionner ce que vous apprendrez ci-après par la pratique et l'expérience.

D'ailleurs, dans notre vie quotidienne, ce ne sont pas les occasions de s'exercer qui manquent si l'on sait bien les percevoir. Je vous invite donc plus particulièrement à profiter de situations routinières de votre vie quotidienne (par exemple, l'achat de certains biens de consommation, les disputes entre enfants, les discussions avec votre conjoint, les échanges avec des amis) afin d'expérimenter certaines des techniques et afin de mieux comprendre leur fonctionnement pratique et les situations dans lesquelles elles se révèlent efficaces.

La pratique de la négociation est un peu comme la pratique du golf; vous aurez beau lire tous les livres et assister à tous les séminaires disponibles sur ce sujet, votre degré d'habilité dépendra également beaucoup de la pratique et de l'effort individuel que vous y mettrez.

Par contre, je puis vous assurer que cet effort en vaut la peine puisque mieux négocier signifie souvent mieux réussir.

CHAPITRE 1

LE BUT VÉRITABLE DE LA NÉGOCIATION

1. Ce qu'est la négociation

Afin de bien définir ce qu'est le but véritable de la négociation, il faut tout d'abord s'entendre sur ce qu'est la négociation elle-même.

Selon moi, l'on peut définir la négociation comme suit :

«Un processus de communication dans le but de créer, modifier ou terminer une relation.»

Les éléments de cette définition méritent que l'on s'y attarde quelque peu :

a) Un «processus»

La négociation n'est pas une communication accidentelle ou qui progresse au gré des événements ou par intuition mais plutôt un véritable «processus», c'est-à-dire un mode de communication relativement bien organisé afin de mieux atteindre le but visé.

b) Une «communication»

Pas de communication, pas de négociation. Bien que, dans certains cas, la communication puisse être indirecte (ou par intermédiaires) et bien qu'elle puisse prendre plusieurs formes, la communication est un élément essentiel de toute négociation.

c) Un «but»

Outre le fait qu'elle se déroule souvent suivant un processus relativement bien encadré, c'est à l'existence d'un but que l'on peut reconnaître la négociation parmi d'autres formes de communication.

En effet, lorsqu'on communique dans une négociation, c'est afin d'atteindre, à la fin de la communication, un objectif, que ce soit acheter ou vendre une chose, régler un problème ou profiter d'une opportunité.

d) Un processus de communication afin de «créer, modifier ou terminer une relation»

Le but de toute négociation est de «créer, modifier ou terminer une relation».

Si j'achète quelque chose de vous, je modifie une relation en faisant en sorte que je sois, une fois l'entente conclue, le propriétaire de cette chose et que vous ne l'êtes plus alors que vous devenez, quant à vous, propriétaire du prix d'achat que je vous verse et que je n'ai plus.

En ce sens, la relation n'est pas seulement une relation entre des personnes mais peut aussi bien être la relation entre des personnes et des objets ou autres valeurs (tangibles ou intangibles).

Aussi, toute négociation, si elle aboutit à une entente, vient modifier une ou plusieurs relations.

2. Trois fausses croyances concernant le but de la négociation

Notamment à cause des caractéristiques propres à la négociation-compétition, trois fausses croyances majeures relativement au but de la négociation sont venues perturber sérieusement l'efficacité de plusieurs négociateurs.

Il est donc important que nous les analysions quelque peu afin que vous puissiez vous en défaire, étape essentielle pour devenir un meilleur négociateur :

a) Première fausse croyance le but de la négociation est de conclure un accord à tout prix

Quel est votre sentiment lorsqu'une négociation dans laquelle vous vous êtes engagé se termine sans accord?

Pour une très vaste majorité de négociateurs, il s'agit d'un sentiment où l'on retrouve de la frustration et un peu de colère contre l'autre partie (ou parfois contre ceux ou celles pour lesquels le négociateur agit) pour ne pas avoir été plus raisonnable, équitable ou flexible.

En fait, il n'est pas faux d'affirmer que, pour la plupart d'entre nous, il s'agit d'un sentiment d'échec.

Pourquoi?

Le plus souvent, parce que nous avons investi des efforts et de l'énergie dans un processus qui n'apporte aucun résultat concret. Il s'agit donc alors d'un gaspillage net de nos efforts.

Ceci nous amène donc directement à une deuxième question :

Est-il préférable de conclure un accord qui est à notre détriment ou de ne pas conclure d'accord du tout?

Voilà le vrai problème.

Le sentiment d'échec ne devrait pas résulter du fait qu'un accord n'a pas été conclu mais du fait que, accord ou non, notre situation à la fin du processus de négociation n'est pas meilleure, ou au moins équivalente, à ce qu'elle était au début.

Malheureusement, plusieurs négociateurs, une fois qu'ils ont investi temps, efforts, énergies, ressources et, avouons-nous-le, un peu d'ego dans une négociation, perdent cette réalité de vue et en viennent à considérer la conclusion de l'accord comme le but ultime de la négociation, indépendamment du fait que cet accord, dans sa forme finale, puisse être moins favorable que pas d'accord du tout.

À ce chapitre, des chercheurs ont réalisé une expérience fort pertinente.

Ils ont élaboré, pour fins d'expérimentation, un encan où un bien ayant une valeur fixe et connue des participants est mis en vente par enchères. Généralement, il s'agit tout simplement d'un billet ou d'une pièce d'un dollar.

Cette pièce ou ce billet étant mis en vente, plusieurs personnes doivent, tour à tour, soumettre leur offre pour l'achat de ce billet ou de cette pièce d'un dollar.

Cependant, la règle du jeu veut que chaque fois qu'une nouvelle offre est faite, l'offrant doit déposer le montant de son offre et, si l'offre n'est pas la plus élevée, la personne perd le montant offert.

Ainsi, de façon bien pratique, lorsqu'un offrant offre 25 ¢, il remet une pièce de 25 ¢ à l'encanteur qui la conserve; lorsque le deuxième offre 50 ¢, il remet 50 ¢, le troisième remet son offre, disons de 75 ¢ et l'on revient au premier et ainsi de suite dans la forme typique d'une enchère.

En toute logique, la pièce d'un dollar devrait se vendre pour un dollar ou moins.

Or, dans plusieurs de ces expériences, les enchères sont montées à plusieurs dollars et il a même fallu, dans certains cas, mettre fin à l'encan puisque les enchérisseurs semblaient s'être engagés dans un processus sans fin occasionné par le fait que leur perte possible, si leur offre n'était pas la plus élevée, devenait le facteur déterminant beaucoup plus que la valeur du dollar mis en vente.

Cette expérience a le mérite de montrer qu'à défaut de critère ou de norme objective établi dès le départ, les négociateurs peuvent en venir à calculer la valeur de l'accord en fonction de leur investissement dans le processus de négociation beaucoup plus qu'en fonction de l'amélioration de leur situation par rapport à celle qui existait antérieurement.

Cet exercice démontre également qu'il faut envisager, dans la négociation, un certain risque puisque, au début du processus, chacune des parties devra prendre la décision d'y investir du temps, de l'énergie, des efforts et souvent de l'argent, sans être assurée d'obtenir un résultat qui permette d'améliorer sa situation.

N'est-ce pas d'ailleurs pour cette même raison que plusieurs recherches démontrent constamment que près de 90 p. cent des concessions (en importance) sont faites dans les derniers 15 p. cent de la durée d'une négociation et que plus de 80 p. cent de celles-ci sont faites dans les derniers 10 p. cent?

N'est-ce pas aussi pour cela que la technique du temps limite, dans laquelle le négociateur informe l'autre que l'entente ne sera plus possible après tel jour ou telle heure, et celle de l'offre à prendre ou à laisser sont si dures et puissantes?

Le risque de voir la négociation se terminer par autre chose qu'un accord semble être un motivateur puissant à l'obtention de concessions.

Il est important, dans le cadre de toute négociation, de ne pas perdre la forêt de vue, c'est-à-dire son contexte de départ, et de ne pas perdre non plus de vue que le résultat que l'on recherche est une amélioration de notre situation et non pas un accord à tout prix.

Pour ce faire, nous devons, dès le début de la négociation, établir précisément quelle est cette situation que nous désirons améliorer en nous engageant dans la négociation.

Cependant, notre situation antérieure au début de la négociation ne peut servir de barème pour évaluer la qualité du résultat de la négociation.

En effet, cette situation peut, dans plusieurs cas, être modifiée par d'autres avenues que la négociation dans laquelle nous avons décidé de nous engager.

Prenons l'exemple d'une personne qui a besoin d'acheter une nouvelle automobile et qui est prête à investir une somme de 20 000 $ dans cet achat.

Si elle désire tout simplement améliorer sa situation, logiquement, elle ne ferait qu'aller voir un concessionnaire et acheter une voiture qui coûte 20 000 $ et qui répond à ses attentes premières, puisque cela améliorerait sa situation et répondrait à son besoin d'une automobile.

Par contre, une personne prudente ira voir plusieurs concessionnaires automobiles avant d'arrêter son choix.

En ce faisant, lorsqu'elle entrera dans le processus de négociation d'un achat déterminé, elle saura déjà quelles sont ses alternatives et quels sont les autres produits sur le marché qui peuvent répondre, en totalité ou en partie, à son besoin.

Elle comparera donc le prix et les conditions offertes lors de la négociation avec le prix, les conditions et les qualités des autres véhicules qu'elle a examinés.

Aussi, dans l'un des grands classiques de la négociation coopérative intitulé *Getting to Yes* (traduit en français sous le titre *Comment réussir une négociation*), les professeurs Roger Fisher et William Ury de l'Université d'Harvard ont proposé, comme base de référence, la notion de «meilleure alternative à la solution négociée».

Selon leur approche, à laquelle je souscris entièrement, l'évolution d'une négociation doit constamment être mesurée en rapport avec ce que nous pourrions obtenir de mieux si la négociation ne réussit pas.

Le même exercice peut d'ailleurs être fait en ce qui concerne l'autre partie à la négociation, ce qui nous permet de mieux dégager les intérêts véritables en jeu.

Nous verrons en détails l'importance et le rôle de cet examen au chapitre 4.

Il est cependant important de comprendre que le but de la négociation n'est pas d'en arriver à un accord à tout prix mais plutôt de trouver une solution qui satisfera mieux nos intérêts que notre meilleure alternative à cette solution négociée.

Si notre meilleure alternative répond mieux à nos intérêts que l'accord auquel on peut en arriver par la négociation, le fait de conclure l'accord sera alors un échec et non pas l'inverse.

b) Deuxième fausse croyance : un bon négociateur peut obtenir que l'autre partie agisse contre ses propres intérêts

La deuxième fausse croyance dont nous devons nous éloigner est celle voulant que le négociateur d'expérience, par sa personnalité, ses arguments, son verbe et ses tactiques puisse obtenir que l'autre partie fasse des concessions importantes à l'encontre de ses besoins et de ses attentes et en arrive même à conclure un accord à l'encontre de ses intérêts pour satisfaire aux demandes de ce négociateur chevronné.

Cette fausse croyance est renforcée par le fait qu'effectivement, certains négociateurs réussissent parfois à obtenir des ententes où d'autres parties agissent à l'encontre de leurs intérêts.

Qui d'entre nous n'a pas vécu l'expérience d'une personne qui est entrée en communication avec nous dans le but présumément de faire un sondage pour, après nous avoir posé quelques questions d'opinion, tenter de nous amener à faire un achat, alors que nous avons réalisé que sa véritable intention était depuis le début de faire une vente.

Dans la même veine, qui d'entre nous n'a pas été informé au moins une fois avoir gagné un prix important pour réaliser, parfois trop tard, que le prix était un cadeau mineur servant de porte d'entrée à un vendeur d'un bien plus important.

Malheureusement, qu'arrive-t-il dans beaucoup de ces cas?

En général, après que la situation véritable a été découverte, et même si la vente est faite, le vendeur qui a utilisé de telles tactiques déloyales peut voir l'acheteur causer des problèmes quant au respect du contrat, faire des plaintes, intenter des poursuites ou, à tout le moins, faire en sorte que le négociateur voit sa réputation affectée de façon importante.

En fait, au Québec, la Loi sur la protection du consommateur résulte directement de ce type de pratique.

Aussi, dans mon esprit, faire agir une partie contre ses intérêts constitue de la manipulation et non pas de la négociation. Ses effets sont souvent d'ailleurs, comme nous l'avons vu, beaucoup plus néfastes que positifs.

Le négociateur chevronné tentera plutôt de trouver un terrain d'entente qui satisfera le mieux possible les intérêts légitimes des parties concernées.

Ceci n'exclut pas cependant que le négociateur puisse devoir travailler avec l'autre partie afin de l'aider à mieux préciser ses besoins et intérêts réels de façon à l'écarter d'attentes ou de positions excessives ou non légitimes.

En ce faisant, il pourra obtenir que l'autre partie réduise quelque peu ses attentes ou qu'elle réajuste ses demandes en fonction de ses intérêts réels, mais le négociateur ne cherchera pas à obtenir qu'elle agisse contre ses intérêts véritables et légitimes.

Cet énoncé nécessite cependant deux éclaircissements additionnels :

- Il se peut que l'intérêt réel et légitime de l'autre partie permette que certains éléments de l'entente paraissent désavantageux pour elle lorsque, de façon générale, l'entente permet d'en arriver à un résultat positif.

  Ainsi, il sera possible pour un acheteur, dans un contexte donné, de négocier un achat à un prix qui soit même en-dessous du coût du produit pour le vendeur si ceci permet au vendeur de pénétrer un nouveau marché ou d'expérimenter un nouveau produit.

  Dans des cas semblables, la partie désavantagée doit cependant y voir son intérêt si l'on veut que l'accord fonctionne.

- Il est possible, dans plusieurs cas, de modifier l'intérêt de l'autre partie ou sa perception de son intérêt afin de favoriser l'accord.

  Ainsi, en modifiant certaines données préalables de la négociation telles que, par exemple, en augmentant la quantité de produits achetés, en établissant une relation à long terme, en changeant les spécifications ou les demandes, en modifiant les termes et conditions d'une entente, il est possible de faire en sorte que l'intérêt d'une partie à l'entente s'accroisse de façon à pouvoir lui faire consentir des concessions sur d'autres éléments de cette même entente.

  Le négociateur n'hésitera pas à ce faire dans les cas où ceci est légitime et demeure équitable.

  Encore ici, cependant, il ne s'agit pas de faire agir l'autre partie à l'encontre de ses intérêts, mais plutôt de faire en sorte que son intérêt à l'entente devienne tel qu'elle puisse faire les concessions nécessaires pour que cette entente se réalise.

c) *Troisième fausse croyance : pour réussir une négociation, il faut avoir obtenu plus que l'autre partie*

Cette troisième fausse croyance est sans aucun doute très dangereuse et a occasionné l'échec de plusieurs négociations.

À compter du moment où l'on évalue notre succès en le comparant à celui de l'autre négociateur, l'on perd rapidement de vue le but premier de la négociation, lequel est d'obtenir un avantage par rapport à notre meilleure alternative à la solution négociée.

Dès que ce dernier objectif est atteint, le fait que l'autre partie obtienne, quant à elle, des avantages qui soient supérieurs aux nôtres ne devrait pas pour autant nous empêcher de conclure la transaction.

Par contre, ceci ne signifie évidemment pas que nous devons cesser de négocier à partir de ce seuil et que nous devons cesser de chercher à obtenir un plus grand avantage si nous sommes en mesure de le faire sans mettre l'entente en péril.

Tout ce qu'il faut éviter, c'est de faire avorter, par une comparaison trop directe avec les gains de l'autre, une négociation qui nous procurera des avantages pour le seul motif qu'elle semble procurer plus d'avantages à l'autre partie.

Ceci nous ramène d'ailleurs à la constatation que nous faisions à l'égard de la première fausse croyance, soit l'importance de bien évaluer, autant au début de chaque négociation que de façon continue au cours de son déroulement, notre meilleure alternative à cette solution négociée afin d'être en mesure de déterminer ce point précis où l'entente négociée nous procure un avantage réel par rapport à cette meilleure alternative.

3. Quel est le but véritable d'une négociation?

Pourquoi négocie-t-on?

Pour acquérir à de bonnes conditions ce que l'on désire? Pour disposer de ce que l'on a plus besoin? Pour régler un problème ou saisir une opportunité?

En fait, le dénominateur commun de tout cela est que l'on négocie dans le but d'améliorer notre sort, tel que nous le percevons.

Nous entreprenons une négociation seulement lorsque nous croyons que notre intérêt sera mieux servi lors d'un résultat possible de celle-ci que par une autre voie.

Aussi, les deux clés qui nous amènent à négocier et qui constituent le but véritable de la négociation peuvent se résumer dans les mots «intérêt perçu» et «satisfaction».

Tout d'abord «intérêt perçu».

Afin qu'une négociation soit fructueuse, il faut qu'au tout début de celle-ci toutes les parties perçoivent qu'elles ont intérêt à négocier et que, à la fin du processus d'échanges, elles perçoivent encore avoir intérêt à conclure l'accord.

En ce sens, les mots «intérêt» et «perçu» sont donc intimement liés et, à mon avis, indissociables.

En effet, mon «intérêt» n'a pas, pour moi, d'existence propre et objective. Il est quelque chose de subjectif que je suis le seul à pouvoir vraiment apprécier.

Ainsi, vous pouvez penser qu'il est dans mon intérêt d'accepter un nouvel emploi plus stable et qui m'offre une généreuse augmentation de salaire mais, par contre, si j'aime le défi et le risque, et que la rémunération ne m'importe que peu, mon intérêt sera alors tout autre.

Lorsque nous replaçons l'intérêt et la perception de cet intérêt dans le cadre d'une négociation, nous constatons que l'un des premiers devoirs du négociateur sera de bien saisir comment la partie qu'il représente perçoit son propre intérêt dans la négociation proposée et de bien situer cet intérêt dans de justes proportions.

Par exemple, si une partie considère que la négociation et l'entente avec l'autre dans les trois (3) jours constituent son seul espoir de survie, le négociateur devra s'assurer que tel est bien le cas, qu'il n'y a aucune alternative valable, que le délai de trois (3) jours est bien ferme et qu'il ne peut être prolongé.

D'ailleurs, la méthode pour bien évaluer la situation est celle que nous avons vue un peu plus tôt, à savoir la recherche de la meilleure alternative à la solution négociée.

Il arrive souvent que, dans cette recherche, l'on découvre des alternatives ou des éléments qui permettent au négociateur de jouir d'une marge de manoeuvre plus grande que celle qui résulterait des prémisses initialement avancées par la partie qu'il représente.

À ce sujet, nous verrons au chapitre 8 ci-après que le rapport de force n'est généralement qu'un phénomène de croyance et de perception qu'il est souvent possible de modifier.

Deuxièmement, le négociateur devrait établir quel est l'intérêt des autres parties à la négociation et de quelle façon celles-ci le perçoivent.

Il lui sera alors possible, dans bien des cas, par une présentation, une démonstration ou par d'autres moyens, de modifier la perception de l'autre partie afin de faire grandir son intérêt dans la négociation et, d'autant, les chances d'en arriver à un résultat fructueux.

Encore ici, la recherche de la meilleure alternative à la solution négociée des autres parties constituera un outil privilégié afin de déceler l'intérêt véritable de celles-ci à négocier; cependant, cette recherche ne démontrera pas comment ces autres parties perçoivent leur intérêt d'où la nécessité fréquente de transmettre à celles-ci des messages afin de s'assurer qu'elles perçoivent bien leur intérêt ou afin de les aider à mieux le percevoir.

Lorsque nous nous y attardons un peu, nous constatons que les menaces, bien qu'inacceptables sur le plan moral (et souvent légal) et trop souvent dommageables à une négociation, constituent un moyen de faire croître la perception par d'autres parties de leur intérêt à négocier.

Il existe cependant d'autres moyens beaucoup plus acceptables d'atteindre ce but dont la présentation de faits, les questions biens préparées, la comparaison entre les différentes alternatives, les projections, les précédents, les témoignages, etc.; de façon générale, la meilleure façon d'améliorer la perception de l'intérêt à négocier d'une autre partie est de lui présenter des faits dans une forme crédible sans tirer soi-même les conclusions, mais de lui faire cette présentation sous un jour qui rende les conclusions désirées presque indiscutables.

Cette recherche de l'intérêt et de la perception de son intérêt par chacune des parties concernées est un outil essentiel dont le négociateur doit absolument se doter dès le départ. Le résultat de ce travail, mis à jour continuellement tout au long de la négociation (puisque l'intérêt et sa perception évoluent constamment), lui servira de guide à toutes les étapes du processus.

Lorsqu'il s'agira de soulever un nouvel élément ou de régler une difficulté, le négociateur pourra en revenir tout d'abord à ces notions «d'intérêt» et de «perception de l'intérêt» afin de mieux préparer son travail et d'ajuster ses propositions et sa stratégie.

La deuxième clé qui nous aide à mieux définir le but de la négociation est le mot «satisfaction».

Autant la notion d'«intérêt perçu» constitue le moteur qui amène les parties à vouloir négocier et à conclure une entente, autant la notion de «satisfaction» devra être le barème qui permette la conclusion d'une entente fructueuse.

Ainsi, bien que je puisse percevoir mon intérêt à négocier et à conclure une entente pour acheter votre maison, il se peut que les conditions demandées ou la façon dont vous avez procédé dans la négociation m'amène à ne pas conclure la transaction, celle-ci ne m'apparaissant pas suffisamment satisfaisante.

Tout comme la notion d'«intérêt perçu», la notion de «satisfaction» est une notion subjective et différente pour chacun d'entre nous.

Prenons l'exemple suivant.

Une personne lègue à chacun de ses 3 enfants une somme de 100 000 $. La plus vieille de ces enfants vient d'être laissée par son mari, est sans travail et doit subvenir aux besoins de ses 3 enfants; en fait, elle a peine à payer son loyer et à acheter de la nourriture suffisante pour satisfaire leurs besoins. Le deuxième est en prison pour 25 ans suite à un vol à main armée alors que le troisième est un homme d'affaires multimillionnaire.

Croyez-vous que leur satisfaction respective de recevoir 100 000 $ sera la même?

Pour le millionnaire, il s'agira d'un legs mineur auquel il n'accordera que peu d'attention alors que, pour sa soeur la plus âgée, il s'agit là d'une bouée de sauvetage qui peut lui permettre de modifier complètement le cours de sa vie. Enfin, pour le prisonnier, il s'agit d'un don qui ne peut lui être bénéfique qu'à très long terme puisqu'il ne pourra en profiter pour une longue période de temps.

L'on voit donc que la notion de satisfaction dépend de la situation de chacun et non pas d'un facteur objectif identique pour tous.

Si vous m'avez promis un bonus de 10 000 $ à la fin de l'année financière compte tenu des bons résultats de mon travail et que vous n'avez rien promis à mon collègue, quelle sera notre réaction respective si vous nous donnez, à chacun, un bonus de 5 000 $? Il y a de fortes chances que mon degré de satisfaction sera beaucoup moindre que celui de mon collègue auquel vous n'avez rien promis; pourtant le geste et ses effets sont les mêmes.

Aussi, tout comme la notion d'«intérêt» ne peut pas être complète sans que l'on n'y adjoigne la notion de «perception», autant la notion de «satisfaction» implique qu'elle soit évaluée en fonction de la situation et de la perception de la partie impliquée.

Ces deux (2) notions d'intérêt perçu et de satisfaction nous amènent, ensemble, à une constatation primordiale sur le but de la négociation, à savoir que le but de la négociation est la satisfaction de l'intérêt de toutes les parties tel que ces dernières le perçoivent.

Cette constatation n'est pas que théorique mais son application est pratique et quotidienne.

Si vous voulez réussir dans le domaine de la négociation, il vous faudra tout d'abord connaître et comprendre quels sont les intérêts des autres parties à la négociation, de quelle façon ces dernières perçoivent leur intérêt et à quel niveau considéreront-elles que leurs intérêts ont été satisfaits.

Par la suite, une fois que ces éléments sont connus et ont bien été compris, il sera possible d'orienter une partie importante du travail du négociateur soit pour modifier la perception de l'intérêt ou la perception de ce qui constitue une solution satisfaisante pour chacune des parties, soit encore pour démontrer que des propositions ou des solutions avancées par le négociateur permettent de satisfaire cet intérêt ou ces intérêts.

Dans les recherches sur la négociation-compétition, l'une des très grandes faiblesses relevées est cette méconnaissance et ce désintéressement face aux intérêts véritables des parties.

Dans ce type de négociation, le négociateur se concentre trop sur les positions et les concessions respectives et oublie que le but de la négociation est la satisfaction des intérêts perçus.

Ainsi, dans la négociation-compétition, les négociateurs ne font que peu ou pas du tout le travail de recherche des intérêts de l'autre partie, de la perception de ses intérêts et de ce qui est nécessaire pour les satisfaire.

De fait, non seulement les négociateurs dans les négociations-compétitions ne font pas cette recherche pour les autres parties mais, trop souvent, ils ne la font même pas pour la partie qu'ils représentent.

L'on peut comprendre que, par cette méthode, l'on peut en arriver à une solution qui constitue un juste compromis entre les positions initiales mais qui ne permette pas d'atteindre l'objectif premier qui est la satisfaction des intérêts véritables tels que chaque partie les perçoit.

Prenons l'hypothèse suivante.

Je désire construire une clôture sur la ligne de division entre mon terrain et celui de mon voisin et je veux le convaincre de participer pour moitié aux frais de cette construction. Par contre, il est important pour moi d'avoir une clôture de bonne qualité construite par des experts. D'autre part, je suis prêt, si la condition financière de mon voisin ne lui permet pas de payer sa participation comptant, à accepter que ce dernier me rembourse la moitié des frais de construction sur un certain nombre de mois.

Afin de le convaincre de participer à ces frais, je fais préparer une soumission qui s'élève à 5 000 $ et je vais le rencontrer afin de lui demander de participer pour moitié, à savoir pour 2 500 $. De son côté, ne possédant pas cette somme, il adopte la position qu'une clôture à frais partagés serait une bonne idée mais que nous sommes en mesure de la fabriquer nous-mêmes, dans nos temps libres, ce qui permettrait une économie d'environ la moitié des coûts, laissant un total de 2 500 $ qui, partagé entre nous deux, serait de 1 250 $ chacun.

Si, à partir de ce moment, nous limitons la négociation à essayer de trouver un compromis entre mon désir d'obtenir une clôture bâtie par des experts à un coût total de 5 000 $ et son désir d'avoir une clôture autoconstruite à un coût de 2 500 $, il y a de fortes chances que le débat aboutisse à un compromis ou, qu'afin de satisfaire mon désir, la clôture soit construite par un expert et, afin de rencontrer ses limitations de budget, sa participation ne soit que d'environ 1 800 $, à savoir à mi-chemin entre le 2 500 $ que je lui ai demandé et le 1 250 $ qui serait requis par une autoconstruction.

Bien qu'il s'agisse là d'un compromis peut-être acceptable, il ne s'agit peut-être pas de la meilleure solution dans les circonstances.

Si je prends soin de bien vérifier avec lui quel est son intérêt à vouloir construire la clôture lui-même, quelle est son expérience dans la construction de clôtures et quelles sont les alternatives disponibles, nous pourrions en arriver à une solution encore plus satisfaisante si je découvre, par exemple, qu'il a déjà construit plusieurs clôtures et qu'effectivement il est aussi habile de ses mains que les experts que j'ai contactés.

Dans un tel contexte, nous pourrions même nous entendre pour qu'il construise lui-même seul la clôture (si je ne désire pas m'impliquer moi-même dans ce travail) et que, compte tenu de son travail, la participation au coût total de 2 500 $ soit partagée à raison de 750 $ pour lui et 1 750 $ pour moi.

Dans ce contexte, ma contribution à la clôture de 1 750 $ est beaucoup moindre que celle d'environ 3 200 $ requise dans le premier compromis et même celle de 2 500 $ prévue dans mon offre initiale alors que sa propre participation de 750 $ est aussi beaucoup moindre que la participation d'environ 1 800 $ prévue dans un seul compromis.

L'on voit donc une illustration typique d'une approche «gagnant-gagnant» que l'on peut obtenir si les parties se penchent sur leurs préoccupations et leurs intérêts véritables et ne se limitent pas à tenter de trouver un compromis entre des positions qui peuvent cacher une portion importante de diversités d'accords possibles.

Aussi, pouvons-nous constater qu'il est important de comprendre que le but véritable de la négociation est la satisfaction de nos intérêts tels que nous le percevons et non pas seulement l'obtention d'un accord négocié à tout prix ou l'obtention d'avantages qui soient plus nombreux ou plus importants que ceux obtenus par l'autre partie.

Comme mesure de cette satisfaction d'intérêt perçu, l'obtention d'une entente qui soit meilleure pour nous que notre meilleure alternative à la solution négociée devrait constituer notre barème de base.

À partir du moment où nous avons bien saisi ces notions, il nous sera possible de nous engager dans une négociation avec un esprit plus ouvert à des solutions qui seront plus adéquates et satisfaisantes que la solution qui consiste en un seul compromis entre des positions initiales qui ne révèlent pas suffisamment l'intérêt qu'elles visent à satisfaire.

CHAPITRE 2

VISEZ HAUT ET OBTENEZ PLUS

1. Dois-je demander plus que je ne veux ou être raisonnable dès le départ?

Si j'avais à identifier la question la plus fréquemment posée lors de séminaires ou de conférences sur la négociation, ce serait sans aucun doute celle-ci :

> «Dois-je présenter une demande initiale élevée qui me laisse une grande marge de manoeuvre pour des concessions ou une demande initiale plus proche de mes attentes réelles qui paraît plus raisonnable mais qui m'oblige à être plus ferme puisque j'ai alors moins de marge de manoeuvre?»

La réponse facile et fréquente à cette question est : «Vous devriez présenter la demande la plus élevée qui est objectivement défendable dans les circonstances.»

Cette réponse est malheureusement incomplète et, si vous vous y fiez sans autre explication, elle risque fort de n'apporter que peu de résultats concrets.

Cependant, il est important de reconnaître que plusieurs recherches ont démontré de façon évidente un lien immédiat entre les attentes d'une partie, d'une part, et les résultats obtenus de la négociation, d'autre part.

Dans l'une de ces recherches menées par le Dr Chester L. Karass, des négociateurs furent invités à négocier le prix de vente d'un produit donné. Ces négociateurs furent divisés en deux groupes. La seule distinction entre ces deux groupes était le fait que les expérimentateurs avaient informé les membres du premier groupe que le prix de vente moyen généralement obtenu dans cette négociation était de 2,50 $ par produit alors que les membres du second groupe furent informés que ce prix était généralement de 7,50 $.

Une fois la négociation complétée, effectivement les membres du premier groupe ont obtenu un prix de vente moyen qui se rapprochait de 2,50 $ alors que ceux du deuxième groupe obtenaient, dans des circonstances identiques et sur la base des mêmes données, un prix de vente moyen de 7,50 $.

Dans une seconde recherche menée par le professeur Gérald R. Williams de l'Université Brigham Young, 40 avocats d'expérience furent divisés au hasard en deux groupes, l'un devant représenter une victime d'accident et l'autre groupe, l'assureur qui devait l'indemniser.

Les dossiers remis à chaque avocat d'un même groupe étaient absolument identiques et contenaient notamment des comparaisons avec des règlements passés et intervenus dans des situations semblables. Après que ces avocats se soient préparés pendant deux semaines, chaque membre d'un groupe fut appelé à négocier avec un membre de l'autre groupe.

Afin de les motiver encore plus à bien négocier, les avocats furent informés, avant le début de ces négociations, que le résultat de leurs discussions ainsi que leur nom seraient rendus publics.

Sur les 20 négociations tenues, 14 groupes acceptèrent que leurs résultats soient divulgués.

Ces résultats étaient les suivants :

Demande initiale de la victime	***Offre initiale de l'assureur***	***Résultat obtenu***
32 000	10 000	18 000
50 000	25 000	aucun accord
100 000	aucune offre	58 875
110 000	3 000	25 120
675 000	32 150	95 000
100 000	5 000	25 000
475 000	15 000	aucun accord
210 000	17 000	57 000
180 000	40 000	80 000
aucune demande	0	15 000

350 000 85 500 175 000 97 000	48 500 15 000 50 000 10 000	61 000 30 000 aucun accord 57 500
		Résultat moyen : 47 499 $

La première constatation qui découle de ces résultats est que cette expérience démontre bien que, même parmi des négociateurs d'expérience, il est possible d'en arriver à des résultats fort différents dans des situations pourtant identiques.

On peut d'abord constater que les résultats de ces 14 négociations sont fort diversifiés et qu'il n'y a pas véritablement de tendance à s'approcher de la moyenne du 47 499 $.

Ensuite si, après avoir éliminé les 3 occasions où il n'y a pas eu d'accord, nous répartissons les 14 négociations complétées en 3 groupes à peu près égaux classés en fonction de la demande initiale du réclamant, indépendamment de la position initiale du représentant de l'assureur, nous constatons ce qui suit :

- les 3 réclamants qui ont formulé une demande initiale de moins de 90 000 ont, en moyenne, obtenu un règlement de 21 000 $;
- les 4 réclamants qui ont formulé une demande initiale située entre 90 000 et 175 000 $ ont, en moyenne, obtenu un règlement de 41 623 $; et
- les 4 réclamants qui ont formulé une demande initiale de plus de 175 000 $ ont, en moyenne, obtenu un règlement de 73 250 $.

Il est fort difficile, en analysant le résultat de ces expériences et de plusieurs autres faits sur ce sujet, de ne pas conclure qu'il existe un lien direct entre les attentes et les aspirations des négociateurs et les résultats obtenus.

Je verrai donc avec vous ce lien fort important entre les «attentes», les «demandes» et les «résultats» et certaines méthodes qui vous permettront de mieux en tirer partie dans vos négociations.

2. Une attente est plus qu'un désir

Dans les différentes expériences menées sur le sujet de la corrélation entre les résultats, les demandes et les attentes, certaines irrégularités relevées ont amené les chercheurs à pousser leurs travaux et, en ce faisant, ceux-ci se sont aperçus de la nécessité de distinguer les désirs et les attentes.

En effet, le lien menant aux résultats plus ou moins élevés leur est alors apparu comme suit :

Attente ⟶ Demande ou offre initiale ⟶ Résultat

Par contre, le lien qui pourrait s'ajouter au début de ce continuum et qui serait :

Désir ⟶ Attente

est beaucoup moins évident.

Quelle est donc la différence entre le désir et une attente?

Pour bien la saisir, voyons l'exemple suivant.

Vous devez prochainement négocier votre augmentation de salaire. Compte tenu de votre performance (et de votre niveau de vie), vous désirez que celui-ci soit porté de 45 000 $ à 52 000 $.

Cependant, dans les quelques semaines qui s'écoulent entre le moment où votre désir de 52 000 $ s'est manifesté et la date à laquelle vous devez discuter de votre augmentation, vous apprenez que la plupart des personnes exerçant des fonctions semblables à la vôtre dans d'autres entreprises gagnent un salaire moyen de 41 000 $ et que le budget de votre employeur prévoit une augmentation moyenne de salaire de 4,5 p. cent.

Encore plus, certaines sources vous indiquent que la direction de l'entreprise n'est pas entièrement satisfaite de la performance générale de votre département et qu'une réorganisation prochaine est envisagée.

Ces faits connus, la veille de la rencontre où vous devez discuter de votre augmentation avec votre patron, votre conjoint vous pose la question suivante : «Quelle augmentation crois-tu pouvoir obtenir demain?»

Allez-vous répondre 52 000 $?

Vraisemblablement pas. Pourtant, rien de ce que vous avez appris dans ces quelques semaines ne concerne votre performance ni vos besoins personnels sur lesquels votre désir de 52 000 $ était basé.

Demandez à un amateur de golf quel score il désirerait obtenir lors de sa prochaine sortie. Ensuite, demandez-lui quel score il croit pouvoir obtenir.

Vous pourrez aussi faire la même expérience avec un enfant en lui demandant quelles notes il aimerait obtenir au prochain bulletin puis quelles notes croit-il pouvoir obtenir?

La différence entre les 2 réponses dans chaque cas est la différence entre un désir et une attente.

Cette différence repose essentiellement sur 2 facteurs, soit :

- le désir est plus subjectif et personnel que l'attente et tient beaucoup moins compte des circonstances externes qui peuvent nous affecter; et

- de façon encore plus importante, notre ego et notre amour propre ne sont pas affectés lorsque nous n'obtenons pas quelque chose que nous désirons (par exemple, une ronde de 75 au golf) mais sont sérieusement remis en cause lorsque nos attentes ne sont pas rencontrées.

Une autre façon de bien tracer la distinction entre un désir et une attente serait de définir le désir comme «quelque chose que nous apprécierions obtenir» et l'attente comme «quelque chose que nous croyons nous être due et pouvoir obtenir».

3. Nos attentes sont souvent sous-évaluées

Compte tenu que, contrairement à ce qui se produit pour nos désirs, nous investissons une partie de notre amour propre et de notre ego dans l'obtention de nos attentes. Nous avons souvent tendance à fixer le niveau de celles-ci de façon conservatrice.

De cette façon, nous pouvons plus facilement les atteindre et satisfaire notre ego tout en maintenant notre crédibilité.

Cependant, si nous acceptons qu'il existe un lien important entre nos attentes et les résultats que nous obtiendrons d'une négociation, cette tendance à réduire le niveau de nos attentes peut affecter directement le niveau des résultats obtenus.

Il faudra donc, avant d'entreprendre toute négociation, bien évaluer un niveau d'attente qui, tout en demeurant réaliste, nous permettra de maximiser les bénéfices qui peuvent découler d'une entente négociée.

À ce chapitre, le professeur Gérald R. Williams conclut par ses travaux sur le sujet que l'expérience dans un type de transaction donné n'est pas toujours un avantage pour le négociateur. En effet, une personne habituée à transiger jour après jour le même type d'ententes ou de difficultés peut en arriver de façon bien involontaire à fixer son niveau d'attente à une moyenne de ses résultats antérieurs et à moins rechercher à améliorer ses résultats en augmentant son niveau d'attente.

À l'opposé, une personne peu familière avec le sujet d'une négociation donnée peut arriver à la table avec des attentes beaucoup plus élevées qui n'ont pas été teintées par des transactions antérieures similaires ou par quelques échecs.

Nous reviendrons d'ailleurs sur ce sujet lorsque nous traiterons des assumations et des hypothèses au chapitre 6.

Par ailleurs, une saine analyse de notre situation antérieure et de notre meilleure alternative à la solution négociée réalisée dans un contexte optimiste pourra nous permettre d'établir ce niveau d'attente à la fois élevé et réaliste qui nous permettra d'obtenir plus de nos négociations.

Ce niveau d'attente étant établi, nous devrons nous engager émotivement ou psychologiquement à l'obtenir. Ce degré d'engagement vis-à-vis nos attentes est un facteur important de leur impact sur le résultat obtenu.

Il sera donc important que la partie et le négociateur qui le représente s'entendent sur ces attentes et qu'ils soient tous deux convaincus qu'il est possible de les satisfaire. Cet engagement réciproque vis-à-vis les attentes sera un facteur déterminant du succès de la négociation.

4. Demande exorbitante ou demande raisonnable

Le deuxième élément de la relation «attentes ——→ demandes ——→ résultats» est constitué des demandes.

Nous parlerons ci-après équitablement des demandes comme des offres; l'offre étant tout simplement une forme de demande inversée. Ainsi, lorsque nous parlerons ci-après de demandes élevées, vous pourrez remplacer, si cela vous convient mieux, les mots «demandes élevées» par les mots «offres basses».

Une fois notre niveau d'attente (optimiste mais réaliste) bien établi et une fois que nous sommes engagés psychologiquement vis-à-vis ces attentes, nous devons les véhiculer à l'autre partie.

La demande constitue, dans ce contexte, le véhicule par lequel nos attentes seront initialement transmises.

Cependant, en plus de servir de véhicules à nos attentes, les demandes initiales remplissent d'autres rôles aussi importants, dont :

- elles constituent un plafond à ce que nous pourrons obtenir de la négociation.

  En effet, sauf dans certains cas où les négociateurs s'accordent sur une solution qui intègre des avantages nouveaux et imprévus pour toutes les parties, ce qu'une personne obtiendra d'une négociation sera presque toujours moindre que ce qu'elle a initialement demandé;

- elles peuvent accroître ou diminuer les attentes de l'autre partie.

  Ainsi, si nous demandons beaucoup plus que ce à quoi l'autre partie s'attend, celle-ci diminuera peut-être ses attentes quant à certains autres éléments de l'entente qu'elle désirerait négocier pour s'attarder à la discussion de nos demandes plus élevées que prévu.

  Revenons à l'exemple de la négociation d'une augmentation de salaire que nous avons vu plus tôt.

  Si vous désirez voir votre salaire passer de 45 000 $ à 52 000 $ alors que votre patron s'attend à ce que vous demandiez une augmentation à 48 500 $ et que, de son côté, votre patron désire discuter avec vous de la réduction de vos frais de déplacement ainsi que de la remise d'un an de la date de remplacement de votre véhicule fourni par votre employeur, face à votre demande d'une augmentation de 52 000 $, il se peut fort bien que votre patron concentre ses efforts principalement à débattre vos demandes et, qu'une fois que vous en serez arrivé à un compromis qui se situerait, par exemple, à environ 48 000 $, votre patron, ayant réussi à réduire de beaucoup votre demande salariale initiale, s'abstienne d'ajouter l'insulte à l'injure en introduisant dans la discussion les produits qu'il désirait amener au niveau de vos frais de représentation et du remplacement de votre véhicule.

L'effort investi à ramener le niveau de vos demandes à un montant qui lui apparaît plus approprié peut effectivement réduire ses attentes d'obtenir de vous certaines concessions additionnelles;

- elles permettent enfin à l'autre partie d'évaluer quelque peu la possibilité d'une entente et le risque d'une impasse.

Aussi, la décision de présenter des demandes élevées ou basses doit tenir compte de tous ces rôles tenus par nos demandes initiales.

Pour cette raison, les demandes initiales ne doivent pas seulement être basées sur nos attentes mais aussi tenir compte du message que nous désirons véhiculer à l'autre partie quant à notre perception de l'objet de la négociation.

Revenons maintenant à la question que nous posions dès le début de ce chapitre :

Dois-je présenter une demande initiale élevée qui me laisse une grande marge de manoeuvre pour des concessions ou une demande initiale plus proche de mes besoins réels (ou de nos attentes) qui paraît plus raisonnable mais qui m'oblige à être plus ferme puisque j'ai moins de marge de manoeuvre?

Une expérience vécue et des résultats de recherche dans le domaine de la persuasion nous aideront à répondre à cette question.

Tout d'abord, l'expérience vécue.

De 1947 à 1969, M. Lemuel R. Boulware, directeur des relations de travail pour la compagnie General Electric, a utilisé une technique de négociation qui porte aujourd'hui son nom, soit le «boulwarisme» pour la négociation des conventions collectives dans cette entreprise d'envergure.

Selon sa méthode, M. Boulware procédait, avant le début de toute négociation, à une analyse fort complète des conditions de travail en vigueur dans cette industrie, des expériences vécues par d'autres, des conventions collectives signées par d'autres entreprises similaires et des perspectives économiques.

De façon parallèle, il étudiait en détails les coûts et les difficultés que chaque partie (employeur, employés et syndicats) devrait supporter dans l'éventualité d'une grève ou d'un conflit de travail majeur.

Une fois ce travail complété, M. Boulware entreprenait les négociations avec une offre de départ très complète et équitable qui apparaissait préférable à une grève pour toutes les parties concernées.

Une fois l'offre déposée, M. Boulware l'expliquait dans tous ses détails, fournissait les renseignements qu'il avait obtenus par ses recherches et faisait une démonstration complète de son caractère équitable. Il terminait sa présentation en indiquant au syndicat que cette offre était finale et non négociable puisqu'elle était déjà équitable pour tous.

De fait, il s'agissait d'une offre raisonnable dans laquelle M. Boulware ne se laissait aucune marge de manoeuvre et qu'il imposait littéralement au syndicat par son engagement total à ne pas la modifier.

Bien que cette technique connût un certain succès pendant près de 22 ans dans le contexte économique favorable d'après guerre, elle entraîna un tel sentiment de frustration chez les négociateurs syndicaux qu'elle dût finalement être abandonnée malgré sa logique implacable.

Son grand désavantage était que les représentants syndicaux voyaient leur rôle réduit à néant et que l'entente, bien qu'équitable, leur apparaissait comme imposée par l'employeur.

On peut d'ailleurs se poser la question si cette technique aurait fonctionné aussi longtemps si les parties n'étaient pas tenues d'en arriver à un accord, comme c'est le cas dans le contexte des relations de travail entre employeur et syndicat. L'on sait, dans ce contexte, qu'un accord sera conclu. Dans beaucoup d'autres domaines, dont celui des transactions commerciales, une partie peut, avec ou sans motif, se retirer tout simplement de la négociation.

Il ressort de cette expérience que l'entente qui met fin à une négociation doit être perçue par tous comme étant le fruit d'un travail commun de tous les négociateurs et non pas comme une solution, même équitable, imposée par l'un d'eux.

Il faut donc que, dans la formulation de ses demandes initiales, le négociateur se laisse certaines marges de manoeuvre qui permettront ce travail en commun.

Ensuite, plusieurs expériences réalisées dans le domaine de la persuasion ont démontré les principes suivants qui s'appliquent très bien à la préparation de demandes initiales :

- Dans le cadre du graphique ci-après, l'objectif est de persuader une personne de modifier son opinion de l'idée A vers l'idée X.

  Si nous lui présentons, à cette fin, tout simplement l'idée X et tentons par tous les moyens de la convaincre de la valeur de cette idée, indépendamment de la force de nos arguments, il y a de fortes chances qu'après beaucoup de travail nous l'entraînions vers l'idée T mais très peu de chances à ce que nous l'amenions jusqu'à l'idée X.

  En effet, l'existence antérieure de l'idée A ainsi qu'une certaine résistance à l'effort de persuasion fera en sorte qu'avec de bons arguments, cette personne modifiera son opinion pour se rapprocher beaucoup de l'idée X mais qu'elle ne l'atteindra pas entièrement.

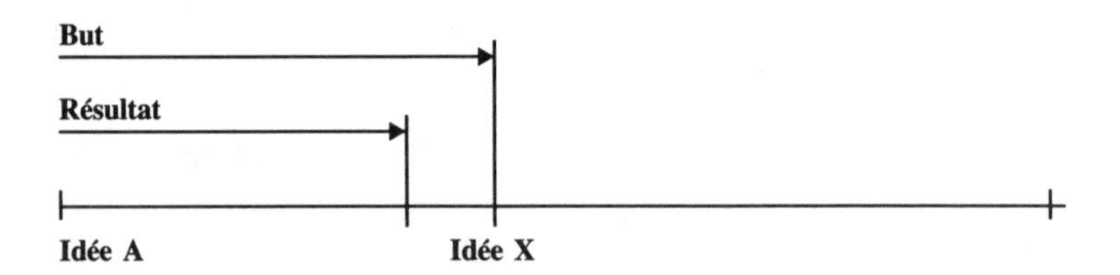

- La conséquence logique de la constatation antérieure, laquelle a été aussi confirmée par des recherches, et que si nous désirons qu'une personne modifie son opinion de l'idée A vers l'idée X, nous devrions plutôt tenter de la convaincre de passer à l'idée Y.

  En ce faisant, avec le facteur de résistance, nous augmentons de beaucoup la possibilité que la personne en vienne à accepter l'idée X.

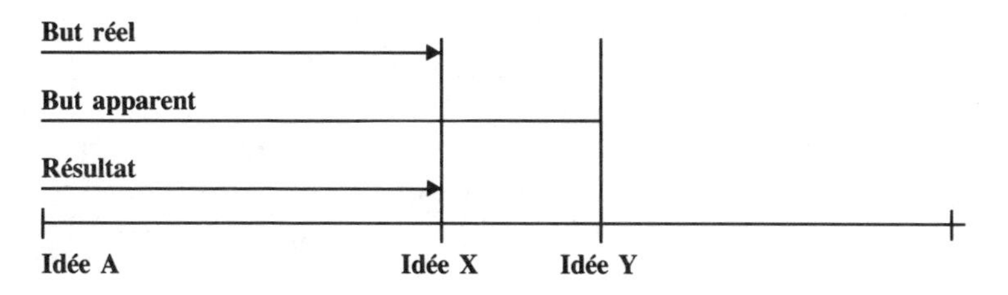

- Ces recherches ont enfin démontré que plus l'idée Y que nous présentions s'éloignait de l'idée X et, en conséquence, de l'idée A, plus il devenait difficile de convaincre le sujet de modifier son opinion et que, passé un certain niveau, l'idée Y perdait toute crédibilité au point où le sujet ne modifiait plus du tout ou très peu son opinion.

  Ainsi, en présentant une idée Y^1 extrême dans le but de faire passer le sujet de l'idée A à l'idée X, on obtenait que le sujet ne veule plus du tout modifier son opinion ou que, tout au mieux, il accepte l'idée B qui représente un changement moindre que si on lui avait présenté initialement l'idée X.

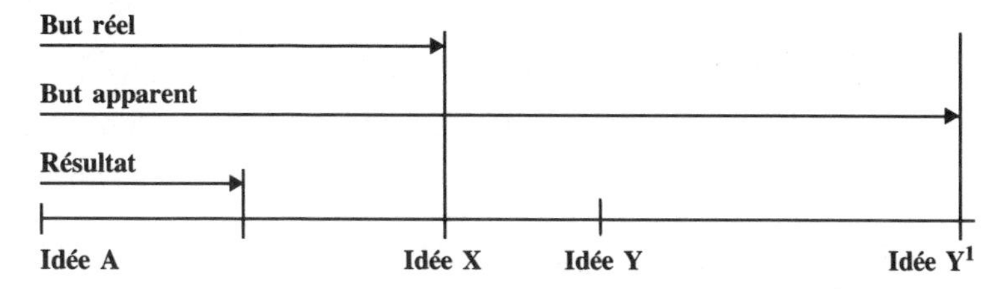

Si nous rattachons le résultat de ces travaux à notre sujet, nous pouvons conclure que nos demandes initiales devraient être plus élevées que nos attentes mais que, d'autre part, elles ne devraient pas être trop élevées afin d'éviter qu'elles ne paraissent farfelues et ne perdent toute crédibilité aux yeux de l'autre partie.

Une première façon d'atteindre cet objectif est de fournir, au moment où nos demandes sont présentées, les facteurs et les justificatifs qui nous amènent à les soumettre à ce niveau (coûts, facteurs de marché, facteurs de concurrence, etc.). Ceci nous oblige naturellement à préparer des justificatifs crédibles qui accompagneront les demandes initiales au moment où elles seront formulées.

Une deuxième méthode consiste à ne pas présenter de demandes initiales mais à discuter et à négocier tout d'abord sur des critères qui permettront d'en arriver à une entente. Dans ce contexte, nous négocions d'abord les justificatifs pour ensuite seulement présenter une demande que nous élaborerons à partir des critères déjà convenus.

Naturellement, il est alors important de vérifier constamment si les critères sur lesquels nous désirons nous entendre nous amènent à réaliser à tout le moins nos attentes légitimes.

Cette dernière méthode est d'ailleurs souvent utilisée lorsque vous tentez d'échanger auprès d'un concessionnaire votre véhicule automobile usagé contre l'achat d'un véhicule neuf.

Dans une telle négociation, très fréquemment, le vendeur qui désire vous vendre le véhicule neuf tout en versant le moins possible pour votre véhicule usagé, discutera pendant longtemps avec vous, avant de vous soumettre quelque offre que ce soit pour votre voiture, de l'état de votre véhicule, des problèmes qu'il découvre, de l'âge, de la difficulté de la revendre, des travaux qui devront être faits sur cette dernière pour améliorer son apparence ou son état d'entretien, etc., sans jamais mentionner un montant.

Cet exercice de la part du vendeur vise notamment à réduire vos attentes face au prix de vente que vous pourrez obtenir de ce véhicule de façon à ce que vous soyez beaucoup mieux disposé à accepter le prix d'achat qui vous sera offert que si le vendeur avait commencé par tout simplement vous indiquer un prix inférieur à vos attentes initiales.

En résumé, au niveau des attentes et des demandes, disons que :

- il est important d'établir d'abord des attentes à la fois réalistes et optimistes. Si l'on s'attend à beaucoup, nous augmentons nos chances d'obtenir plus;
- nous devons nous engager vis-à-vis nos attentes et celles-ci doivent être plus que de simples désirs;
- nous devons présenter des demandes qui soient plus élevées que nos attentes si nous voulons que nos attentes soient satisfaites par le résultat de la négociation;
- nos demandes doivent être élevées mais crédibles. Aussi, nous tenterons de les appuyer de justificatifs qui feront en sorte qu'elles apparaîtront basées sur des éléments solides et non pas être issues d'une imagination débordante;
- nos demandes initiales doivent être complètes parce qu'il sera très difficile d'en ajouter une fois qu'elles auront été présentées.

Outre le fait de présenter des demandes initiales élevées et crédibles, la façon dont nous consentons des concessions sera aussi déterminante quant à l'atteinte d'un résultat élevé. Nous aborderons ce sujet au chapitre 9.

CHAPITRE 3

SATISFAIRE LES INTÉRÊTS ET DÉLAISSER LES POSITIONS

Ce chapitre et les deux suivants traiteront des trois caractéristiques fondamentales de la négociation coopérative, soit la recherche de la satisfaction des intérêts perçus, la recherche d'une solution négociée qui satisfera mieux les intérêts des parties que leur meilleure alternative à celle-ci et, enfin, la recherche de la meilleure solution parmi plusieurs options.

1. La position : un intérêt exprimé de façon limitative

Sur chacun des sujets devant être négociés, chaque partie exprimera, à un moment ou à un autre de la négociation, sa position, c'est-à-dire la façon dont elle croit que la divergence doit être résolue pour répondre à ses attentes.

Cependant, il existe un certain nombre d'étapes entre l'intérêt de cette partie, d'une part, et la position que celle-ci exprime à l'autre partie, d'autre part. Ces étapes peuvent être schématisées comme suit :

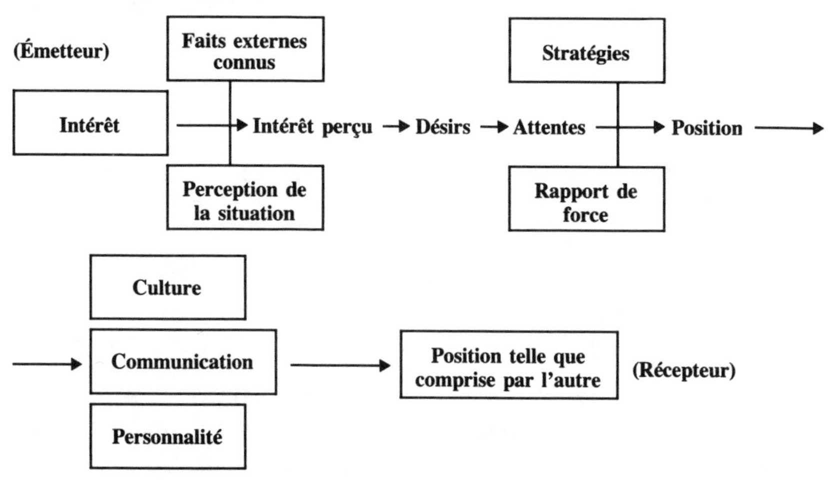

À l'intérieur de chacune des étapes de ce processus, certains facteurs internes et externes viendront modifier l'intérêt initial d'une façon telle qu'un intérêt perçu peut se traduire par une position fort différente selon les différents facteurs en jeu.

Prenons l'exemple suivant.

Je désire acheter votre maison et, après analyse du marché et des alternatives qui m'ont été offertes, je considère qu'un prix d'achat de 200 000 $ répondrait bien à mon intérêt d'obtenir une maison de cette catégorie et dans cette condition et devrait répondre également à votre intérêt de vendre votre demeure.

Cependant, quelques minutes avant de préparer mon offre d'achat, j'apprends que vous êtes en graves difficultés financières et que vous devez absolument réaliser cette vente afin de verser rapidement une somme de 150 000 $ à un créancier qui menace de vous mettre en faillite.

Mon intérêt à acheter la maison n'a pas changé, mais croyez-vous que mon offre (qui exprime ma position sur le prix) sera la même que si, dans la même situation, j'avais plutôt appris que vous veniez de recevoir trois offres d'achat et que la mienne serait la quatrième sur laquelle vous devriez vous décider d'ici deux jours?

Pourtant, les renseignements que j'ai obtenus sur votre situation financière sont peut-être erronés.

Il s'agit là d'un cas où un fait ou des faits externes viendront modifier ma perception du rapport de force à un point tel que mes attentes quant à l'obtention d'un bas prix seront grandement modifiées.

Voyons un autre cas.

Vous me demandez de vous présenter une soumission pour la fourniture de 30 000 volumes à être livrés dans les 3 semaines qui suivent la commande. Après avoir calculé mes coûts, j'en conclus que je peux vous les vendre à 8 $ l'unité. Par contre, j'apprends également que je ne peux vous les livrer dans le délai demandé et que j'ai besoin plutôt d'un délai de 5 semaines.

Afin de faciliter ma tâche d'obtenir un délai plus long, je pourrais employer une stratégie qui consisterait à demander un prix de 9,75 $ l'unité et, en réponse à vos demandes de réduire ce prix quelque peu élevé, vous indiquer que je pourrais réduire ce prix quelque peu si le délai de livraison était prolongé.

Si je décide d'adopter une telle stratégie, ma position initiale sera donc de 9,75 $ sans mention du délai de livraison alors que mon attente est plutôt de 8 $ avec un délai de livraison prolongé de deux semaines.

Le danger que nous courons alors tous les deux dans une telle situation est que vous insistiez pour que je réduise mon prix sans prêter attention à mes suggestions à l'effet que le délai de livraison soit prolongé (puisque cela ne paraît pas un problème important dans ma position de départ) et que, finalement, nous ne pouvions pas conclure l'accord à défaut d'entente sur un prix raisonnable.

Dans cette situation, pour vous, cette mésentente résulterait de mon seul refus de ramener mon prix à un niveau acceptable alors qu'en réalité le problème est mon incapacité de livrer les livres dans les délais demandés.

Ces deux exemples illustrent bien ensemble la distinction entre l'intérêt perçu que la négociation doit tenter de satisfaire et la position exprimée qui peut être fort différente de cet intérêt et amener les négociateurs sur de fausses pistes quant au sujet véritable de la négociation.

2. La négociation-compétition ou comment viser juste sans voir la cible

Traditionnellement, dans la négociation-compétition, chaque négociateur exprime sa position initiale sur un sujet de divergence et, une fois toutes les positions exprimées, la danse des concessions réciproques s'engage afin d'obtenir des aménagements de part et d'autre à partir de chacune de ces positions d'abord exprimées par chacun pour finalement en arriver à une forme de compromis.

Ce type de négociation peut donc se présenter comme suit :

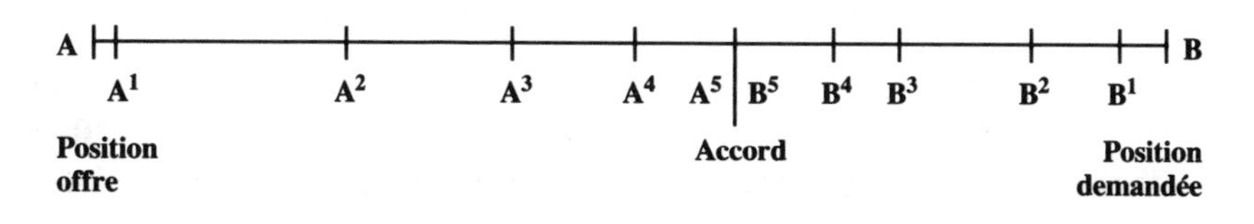

Il s'agit donc d'une négociation purement linéaire où l'on recherche un compromis quelque part entre deux positions initiales et non pas vraiment une solution susceptible de mieux satisfaire les intérêts de chacune des parties, lesquels peuvent se trouver complètement à l'extérieur du long de cette ligne droite tracée entre les positions initiales.

La nature même de la négociation-compétition qui consiste à évaluer le résultat du travail des négociateurs en mesurant les gains et les pertes de chacun par rapport à leur position de départ et de déclarer gagnant celui qui a obtenu le plus de gains et subi le moins de pertes rend difficile toute recherche de solution hors de ce contexte linéaire.

En effet, comment mesurer le gain obtenu par chacun si la solution finale ne se trouve pas quelque part entre leurs positions initiales.

Si je demande 200 000 $ pour vous vendre ma maison alors que vous m'offrez initialement 160 000 $, il sera relativement facile de distinguer le gagnant et le perdant (ou de déclarer un match nul) si le prix de vente est de 165 000 $, ou de 195 000 $ ou de 180 000 $.

Maintenant, dans la même hypothèse, considérons plutôt l'entente suivante :

- Prix total : 190 000 $
- Portion du prix payé comptant : 130 000 $
- Solde du prix de vente : 60 000 $ payables en trois versements annuels portant intérêt au taux de 6 p. cent l'an
- Occupation de la maison par le vendeur jusqu'à la fin de l'année en cours en considération d'un loyer de 1 750 $ par mois
- Commission du courtier d'immeubles réduite de 7 p. cent à 6 p. cent.

Qui est alors le gagnant et qui est alors le perdant?Pourquoi tous ces nouveaux éléments dans l'entente? Qu'est-il advenu des positions initiales?

Ce type d'entente, bien qu'il puisse possiblement satisfaire beaucoup mieux les intérêts véritables du vendeur et de l'acheteur qu'une seule entente sur le prix, est très difficile à réaliser dans la négociation-compétition, non seulement à cause du fait qu'il est presque impossible de définir le gagnant et le perdant mais aussi parce que, pour y parvenir :

- il aura fallu que chaque partie dévoile des éléments de son intérêt qui n'apparaissent absolument pas dans sa position initiale.

  Pour ce faire, il sera alors nécessaire que les négociateurs se fassent une certaine confiance et qu'ils ne se considèrent pas seulement comme des adversaires dans une arène où il est impossible de gagner sauf aux dépens de l'autre;
- les négociateurs devront éviter d'attaquer seulement la position de l'autre et d'argumenter pour faire valoir la leur et plutôt s'attarder à bien comprendre les intérêts, les désirs et les attentes de l'autre partie;
- les parties devront avoir réussi à se percevoir respectivement comme des partenaires devant résoudre ensemble un problème commun et non pas comme des adversaires dont l'un doit gagner sur l'autre.

3. La recherche de l'intérêt ou comment découvrir le trésor caché

Comme nous l'avons vu dans le dernier exemple, il se peut que la réponse satisfaisante à l'intérêt perçu de l'une ou des deux parties fasse appel à des éléments qui sont totalement absents de la position initiale qu'elle exprime dans la négociation.

Aussi, un aspect primordial du travail du négociateur est de rechercher quel est l'intérêt véritable des deux parties et, une fois seulement cet intérêt connu pour chacune des parties, de travailler à rechercher une solution qui les satisfera le mieux possible.

Comment le négociateur procédera-t-il à cette recherche de l'intérêt perçu de chaque partie?

À titre de suggestion, le négociateur pourra vouloir procéder selon les étapes suivantes :

a) Première étape : recherche initiale de l'intérêt de la partie représentée par le négociateur

Tout d'abord, le négociateur commencera par tenter de bien définir l'intérêt de la partie qu'il représente.

Cela se fera par l'obtention de cette partie de renseignements complets sur sa situation actuelle (antérieure à la négociation), sur sa meilleure alternative à la solution négociée, sur les raisons qui la poussent à entreprendre la négociation, sur les avantages recherchés par la négociation, sur ses craintes face à l'autre partie, sur les désavantages et risques possibles de la solution négociée, sur ses désirs, ses attentes, etc.

b) Deuxième étape : tests et questions concernant l'intérêt de la partie représentée

Une fois que le négociateur aura obtenu les renseignements décrits à la première étape et qu'il aura complété ceux-ci à l'aide d'études de dossiers et de rencontres avec les représentants de la partie qu'il représente, le négociateur devra alors tester et questionner les différents renseignements qui lui auront été communiqués.

Peut-être que l'un ou l'autre de ces éléments a été mal évalué? Peut- être que les avantages recherchés peuvent être plus facilement obtenus autrement que par la négociation envisagée? Peut-être que la meilleure alternative à la solution négociée a été mal évaluée ou que, de fait, aucune alternative n'a été considérée?

En fait, dans cette phase de son travail, le négociateur s'assurera que la partie qu'il représente a bien saisi son intérêt et qu'elle le perçoit de façon adéquate. Également, le négociateur s'assurera que les attentes de la partie qu'il représente sont à la fois optimistes et raisonnables (comme nous l'avons vu au chapitre précédent) et que la meilleure alternative à la solution négociée a été adéquatement considérée et mesurée.

c) Troisième étape : recherche initiale de renseignements sur l'autre partie

Dans une troisième étape, le négociateur cherchera, conjointement avec la partie qu'il représente, à procéder à une évaluation similaire à celle qu'il a accomplie au cours des première et deuxième étapes pour l'autre partie à la négociation.

Il se fiera alors, au cours de cette troisième étape, aux renseignements que la partie qu'il représente possédera déjà sur l'autre partie et, notamment, sur sa situation actuelle, sur sa meilleure alternative à la solution négociée, sur sa motivation à négocier, sur les avantages que l'autre partie recherche possiblement dans la négociation et aux attentes de cette dernière.

Des séances de questions, des recherches de faits et des jeux de rôles pourront permettre d'élaborer une première hypothèse sur chacun de ces sujets.

d) Quatrième étape : recherche extérieure de faits

Ensuite, le négociateur ira à l'extérieur afin de rechercher lui-même des renseignements sur chacun des éléments de l'hypothèse qu'il a échafaudée avec la partie qu'il représente concernant notamment la vérification de la meilleure alternative à la solution négociée de la partie qu'il représente et celle de l'autre partie.

Il pourra rechercher ces renseignements de différentes sources choisies en fonction des questions auxquelles il recherche des réponses (compétiteurs, clients, institutions financières, rapports publics, brochures, échanges dans le milieu, etc.).

Le but de cette recherche sera de réévaluer (afin de la confirmer ou de la modifier) la première hypothèse échafaudée avec la partie que le négociateur représente.

Une fois que toutes les étapes de la recherche des intérêts par le négociateur ci-dessus décrites ont été réalisées et que ce dernier est convaincu de bien comprendre les intérêts et les attentes de la partie qu'il représente et de posséder une hypothèse valable qui s'appuie sur certaines sources crédibles en ce qui concerne les intérêts et les attentes de l'autre partie, il entreprendra la communication et les échanges avec l'autre partie.

À ce moment, cependant, le négociateur chevronné ne considérera pas encore qu'il a tous les éléments en mains pour bien comprendre l'intérêt de l'autre partie. En effet, les renseignements qu'il a obtenus de la partie qu'il représente et de ses recherches ne lui permettent que de détenir une hypothèse quant à l'intérêt véritable de l'autre partie et quant à la perception que cette dernière a de son intérêt dans la négociation.

Cette hypothèse peut être exacte, mais elle peut aussi être fausse.

Aussi, lors du processus d'échanges et de discussions avec l'autre partie, le négociateur entreprendra la phase finale de sa recherche de l'intérêt de l'autre partie, c'est-à-dire l'obtention de renseignements directement de cette dernière.

À cette fin, et après avoir investi des efforts importants à la mise en place d'une relation de confiance et de coopération avec l'autre partie, et de façon non agressive, il visera à obtenir des renseignements de l'autre partie sur son intérêt lesquels, comparés au bagage déjà accumulé lors des étapes antérieures, lui permettront de mieux évaluer les enjeux véritables, les besoins, les intérêts et les attentes de l'autre partie tels que cette dernière les perçoit.

Le négociateur pourra obtenir des renseignements de l'autre partie de plusieurs façons dont les principales seront :

- par la divulgation à l'autre partie de certains renseignements véridiques (mais non dommageable) relativement à la situation, aux intérêts, aux besoins, aux attentes et à la meilleure alternative à la solution négociée de la partie qu'il représente, ce qui facilitera l'obtention du climat de confiance qui pourra permettre à l'autre partie de divulguer à son tour des renseignements semblables la concernant;
- par l'écoute active. Trop souvent, et surtout dans une négociation, un négociateur n'écoute pas vraiment ce que l'autre partie lui communique et ne prend pas soin de s'assurer qu'il comprend bien le message ou les messages qui lui

sont transmis lors de ces rencontres ou autres communications.

De fait, beaucoup trop souvent, le négociateur en attendant de recevoir un message ne fait que préparer sa réplique et ne prend pas un soin suffisant à bien écouter ce qu'on lui dit.

En procédant ainsi, le négociateur peut manquer plusieurs messages importants qui lui sont transmis et qui pourraient lui permettre de mieux saisir l'intérêt ou les besoins de l'autre partie.

Dans l'exemple plus haut relativement à la fourniture de volumes, il se peut que j'ai souvent transmis au cours de la discussion le message qu'un délai de livraison plus long pourrait entraîner une possibilité de réduction du prix et il est également possible que l'autre négociateur, croyant fermement que le débat ne devait porter que sur le prix, n'ait pas écouté ces suggestions de ma part ou n'y ait pas accordé l'importance qu'elles requièrent.

L'écoute active s'appuie sur deux principes essentiels à savoir, tout d'abord, bien écouter (et ne pas argumenter ou préparer sa prochaine intervention lorsque nous écoutons) et, deuxièmement, bien s'assurer que nous avons compris ce que l'autre partie a tenté de nous communiquer (soit en lui répétant dans nos mots, soit en la questionnant pour mieux comprendre le fond de sa pensée). L'écoute active sera un outil extrêmement précieux du négociateur surtout si ce dernier désire négocier selon le modèle coopératif;

- par des questions non agressives qui auront été préparées préalablement à la négociation, puisqu'il sera très difficile de préparer des questions en même temps que nous écoutons, surtout de façon active. Le négociateur prendra soin de poser ses questions de façon non agressive en évitant qu'elles ne soient perçues comme des attaques indirectes;
- par des rencontres informelles avec un représentant ou des représentants de l'autre partie hors du contexte précis de la négociation, lesquelles peuvent également permettre d'obtenir des informations fort valables sur les besoins et les attentes de celles-ci, informations qu'il serait parfois

très difficile d'obtenir à une table de négociation formelle;

- par des échanges à des différents niveaux entre des personnes autres que celles qui sont formellement désignées comme négociateurs.

  Ces échanges peuvent servir de source fort utile d'informations.

  Ainsi, dans le domaine de la fourniture de biens industriels, des rencontres entre techniciens ou ingénieurs relativement aux spécifications, aux délais de livraison, à l'usage du produit et à certains autres éléments peuvent permettre d'obtenir des informations fort valables sur les attentes et besoins réels de l'autre partie;

- par différentes suggestions du négociateur.

  En effet, une autre façon par laquelle le négociateur pourra obtenir des données sur l'intérêt perçu de l'autre partie sera, après avoir accompli les étapes antérieures, de suggérer (sans cependant en faire des propositions formelles ou des positions) certaines alternatives qui lui semblent répondre aux intérêts perçus de l'autre partie tels qu'il croit les comprendre.

  La réaction de l'autre négociateur et de l'autre partie à de telles alternatives lui fournira souvent des indices importants lui permettant de mieux saisir les sujets de préoccupation véritables de celle-ci.

L'important pour le négociateur sera de démontrer à l'autre partie que la recherche de ces renseignements n'est pas faite dans le but de fourbir son arsenal afin de pouvoir les utiliser ultérieurement contre celui qui les lui a fournis mais plutôt comme un outil qui lui permettra de mieux travailler à trouver une solution qui soit vraiment satisfaisante pour toutes les parties.

Il s'agira là parfois d'une tâche ardue, surtout si l'autre partie a déjà vécu de mauvaises expériences suite à la divulgation de renseignements que l'on a subséquemment retournés contre elle.

La recherche de l'intérêt est cependant une phase essentielle de toute négociation coopérative puisque ce ne sera que dans la mesure où le négociateur aura réussi à bien saisir et comprendre les intérêts perçus et les attentes de l'autre partie qu'il pourra travailler à les modifier, si elles lui apparaissent excessives ou irréalisables dans le cadre de la négociation, ou à trouver une solution qui permette de les satisfaire tout en satisfaisant évidemment les intérêts et les attentes de la partie qu'il représente.

CHAPITRE 4

OBTENEZ PLUS QUE VOTRE MEILLEURE ALTERNATIVE À LA SOLUTION NÉGOCIÉE

1. La meilleure alternative à la solution négociée comme balise du négociateur

Les attentes que nous entretenons face à une négociation constituent, une fois qu'elles ont été vérifiées et organisées, nos objectifs, soit le but que nous nous proposons d'atteindre par la négociation.

Il s'agit donc, en quelque sorte, du plafond que nous tenterons d'obtenir.

Par contre, il est aussi nécessaire d'établir notre plancher dès le départ, c'est-à-dire ce niveau minimal où nous ferions mieux de nous retirer de la négociation plutôt que de conclure un accord.

Dans la négociation compétitive, ce plancher est souvent absent.

En effet, comme nous l'avons déjà vu, on évalue souvent, dans ce type de négociation, le succès de l'accord de façon purement relative tout simplement en comparant les gains et pertes respectifs de chacune des parties.

Aussi, le facteur qui pourra déclencher le retrait d'un négociateur sera souvent sa perception d'avoir gagné beaucoup moins et perdu beaucoup plus que son vis-à-vis et de ne pouvoir renverser cette tendance.

L'autre élément qui occasionne parfois des accords désastreux est la perception, souvent rencontrée dans la négociation compétitive, que le fait de ne pas conclure un accord est en soi un échec.

Dans les travaux qui ont mené aux différentes théories sous-jacentes à la négociation coopérative, l'on a tenté de contourner ces difficultés en recherchant un moyen d'établir un plancher quelque peu objectif qui ne serait pas dépendant des seules concessions faites de part et d'autre en cours de négociation.

L'on tentait surtout, en ce faisant, d'extraire l'élément comparaison de l'évaluation du résultat de l'accord pour chacune des parties afin de diminuer d'autant l'aspect compétition où chaque point obtenu devait l'être aux dépens de l'autre, et vice versa.

Prenons l'exemple de la vente d'une automobile.

Dans la négociation compétitive, je demanderai par exemple un prix de 6 500 $ et votre première offre pourrait être de 4 750 $. Dans ce contexte, si, après âpres et dures discussions, nous aboutissons à une offre maximale de votre part de 5 100 $, je me trouverai placé dans un dilemme entre conclure un accord où j'apparaîtrai comme un perdant (j'aurai concédé alors 1 400 $ alors que vous n'aurez vous-même concédé que 350 $) ou ne pas conclure l'accord à moins que vous n'augmentiez substantiellement votre offre.

Cette façon de voir, qui représente très souvent la réalité de la négociation compétitive, est-elle cependant celle qui dessert le mieux mes intérêts?

Ma perception de qui gagne et qui perd dans cette négociation serait-elle la même si je savais que trois (3) évaluations indépendantes et sérieuses de ma voiture ont toutes conclu une valeur marchande de moins de 4 800 $? Ma facilité à conclure un accord à 5 100 $ serait-elle accrue? Évaluerais-je alors différemment le risque de ne pas conclure un accord à ce prix?

Pourtant, j'aurai quand même concédé beaucoup plus que vous.

Cet exemple illustre bien un risque important de la négociation compétitive, soit celui causé par l'absence très fréquente de normes d'évaluation objective.

Les recherches visant à mettre en lumière un critère d'évaluation quelque peu objectif d'une négociation se sont tout d'abord attardées sur une comparaison entre la situation existante immédiatement avant le début de la négociation et la situation recherchée par l'accord négocié.

Malheureusement, cette situation antérieure, étant celle que l'on veut modifier par la négociation, est rapidement apparue comme étant un critère peu utile.

Ainsi, si je possède la somme de 15 000 $ que je suis prêt à investir pour l'achat d'une voiture, la comparaison entre ma situation antérieure à la négociation ne sera très peu utile comme critère d'évaluation afin de déterminer si je dois ou non acheter votre voiture pour laquelle vous me demandez la somme de 13 500 $.

Tout au mieux, dans ce cas-ci, ma situation antérieure constituera-t-elle une limite à ma capacité de dépenser pour l'achat d'une voiture mais elle ne me sera guère utile pour décider si je dois ou non accepter votre proposition.

La solution à ce dilemme a été l'établissement d'une hypothèse de travail (que l'on peut cependant rechercher et vérifier), soit celle de «ce qui peut nous arriver de mieux si la négociation n'aboutit pas à une entente» ou, encore, «la meilleure alternative à la solution négociée».

La recherche de cette hypothèse constitue, pour ceux qui pratiquent la négociation raisonnée (ce vocable désigne la méthode élaborée par Roger Fisher et William Ury dans le volume *Getting to yes*), l'étape la plus importante de leur préparation à une négociation.

En effet, comme la meilleure alternative à la solution négociée constituera le plancher en-dessous duquel le négociateur préférera ne pas conclure un accord, il est très important de le situer correctement.

Si ce plancher est fixé trop haut (ou si la meilleure alternative a été surestimée), l'on pourra refuser de conclure un accord pour ultérieurement s'apercevoir que notre meilleure alternative n'est pas aussi satisfaisante à nos intérêts que prévu ou ne nous est carrément pas accessible.

Par contre, si le plancher est fixé trop bas (ou si la meilleure alternative a été sous-estimée), nos attentes peuvent dès lors (et avant même le début de la négociation) être sérieusement réduites, ce qui pourra nous amener à conclure un accord moins satisfaisant pour nos intérêts.

Reprenons à nouveau l'exemple où je désire investir une somme de 15 000 $ dans l'achat d'une voiture et voyons ce qui se produit lorsque vous proposez de me vendre votre automobile à 13 500 $ si j'ai mal situé ma meilleure alternative à la solution négociée.

Dans un premier temps, imaginons que je sois convaincu que je peux acheter une voiture de modèle plus récent, plus puissante et en meilleur état que la vôtre pour une somme de 12 000 $. Il est vraisemblable que je refuserai alors de conclure un accord avec vous pour un prix supérieur à 12 000 $ (et peut-être même à ce prix).

Or si, après m'être retiré de la négociation, je m'aperçois que l'autre voiture n'est plus à vendre et que, de fait, je ne suis pas en mesure d'en retrouver une qui soit comparable à la vôtre pour moins de 15 000 $, qu'adviendra-t-il de ma situation?

Je devrai alors choisir entre revenir pour reprendre la négociation avec vous (dans une position considérablement affaiblie ou pour m'apercevoir que votre voiture a déjà été vendue) ou conclure l'achat d'une autre voiture à des conditions moins satisfaisantes pour moi.

À l'inverse, mes intérêts ne seront pas mieux desservis si je conclus l'achat de votre voiture pour, disons, 13 000 $, pour ensuitte m'apercevoir que j'aurais effectivement pu acheter une voiture de modèle plus intéressant et en meilleur état pour un prix de 12 000 $.

On est donc à même de constater de cet exemple que, même si elle constitue le meilleur critère d'évaluation disponible en matière de négociation, la meilleure alternative à la solution négociée présente un risque; étant une hypothèse, elle peut être dommageable au négociateur si elle n'a pas été correctement évaluée et vérifiée et ce, autant dans un sens que dans l'autre.

Comme pour plusieurs autres aspects de la négociation, le résultat de la négociation dépendra en grande mesure de la qualité du travail de préparation du négociateur et, dans ce cadre-ci, de la précision avec laquelle la meilleure alternative à la solution négociée aura bien été recherchée et évaluée.

2. L'identification et l'évaluation de sa meilleure alternative à la solution négociée

Comme nous l'avons vu, l'élément clé de l'utilisation de la meilleure alternative à la solution négociée comme balise d'évaluation du résultat d'une négociation dépend en tout premier lieu de la qualité de notre travail de recherche et d'évaluation de cette alternative.

Le processus de recherche et d'évaluation de la meilleure alternative de la solution négociée reposera généralement sur les cinq (5) étapes suivantes :

Première étape : Identification des intérêts perçus et des attentes, et préparation d'un instrument de mesure.

Deuxième étape : Recherche ouverte de toutes les alternatives à la solution négociée (sans évaluation).

Troisième étape : Vérification des différents éléments des alternatives retrouvées.

Quatrième étape : Sélection des quelques meilleures alternatives et leur évaluation plus complète.

Cinquième étape : Suivi de la meilleure alternative à la solution négociée tout au long de la négociation.

Reprenons maintenant chacune de ces étapes en voyant comment le négociateur effectuera son travail et pourra en profiter dans le contexte de l'achat d'une voiture selon le dernier exemple que nous venons de voir.

a) Première étape : identification des intérêts perçus et des attentes, et préparation d'un instrument de mesure

Dans un premier temps, le négociateur s'attardera à bien comprendre les attentes de la partie qu'il représente en les classifiant.

Cette classification distinguera entre les attentes obligatoires (celles qui doivent absolument être rencontrées à défaut de quoi l'entente ne pourra être conclue) et les attentes désirées (celles que l'on aimerait bien obtenir mais qui ne sont pas absolument indispensables à la conclusion de l'accord).

Dans le cas des attentes désirées, le négociateur accordera ensuite à chacune une valeur relative qui dépendra du degré d'importance rattaché à chacune d'elles.

Le résultat de ce travail sera l'établissement d'une grille d'évaluation permettant de mieux comprendre les attentes autant face à la solution négociée qu'à l'égard des autres alternatives qui devront être évaluées.

Après discussions complètes et informations prises, je peux décider que la voiture que je désire acheter pour un prix maximal de 15 000 $ doit être d'un modèle sedan 4 portières (pour ma famille), être âgée d'au plus 4 ans (afin d'éviter des frais d'entretien exorbitants) et être d'une marque connue dont les concessionnaires sont nombreux (puisque je dois souvent circuler en province). J'ai aussi décidé, dans un premier temps, que si l'un ou l'autre de ces critères n'est pas rencontré, je ne peux pas acheter la voiture; il s'agit donc là des mes critères obligatoires.

Ensuite, j'aimerais bien payer moins de 14 000 $ (afin de me conserver un coussin pour les imprévus), avoir une voiture dotée d'un moteur de plus de 150 chevaux (pour pouvoir éventuellement y attacher une roulotte), ainsi que posséder une voiture ayant un intérieur gris et un extérieur rouge et d'un modèle japonais avec un espace intérieur relativement vaste (par goût). Ces caractéristiques ne m'apparaissent pas cependant essentielles mais plutôt attrayantes. Dans le cadre d'une négociation, je leur accorderais donc une valeur suivant le degré d'intérêt que je porte à chacune d'elles.

Le résultat de ce travail sera une grille d'évaluation qui ressemblera un peu à ce qui suit :

Critères obligatoires

- 15 000 $ ou moins
- Sedan 4 portières
- 4 ans ou moins
- marque connue dont les concessionnaires sont nombreux

Critères désirés	*Valeur relative de ce critère*
• moins de 14 000 $	un point par tranche de 250 $ en-dessous de 15 000 $
• moteur de plus de 150 chevaux	4
• intérieur gris et extérieur rouge	3
• modèle japonais	2
• espace intérieur vaste	4

Cette grille, qui pourra d'ailleurs être modifiée au cours de mes recherches ultérieures si je découvre de nouveaux besoins et de nouvelles attentes, me servira d'instrument de mesure autant pour les fins de la négociation que pour les fins de la recherche de la meilleure alternative.

b) *Deuxième étape : recherche ouverte de toutes les alternatives à la solution négociée (sans évaluation)*

Une fois la grille établie, je rechercherai sur le marché quelles sont les voitures à vendre qui peuvent constituer une réponse valable à mes intérêts.

Dès cette étape-ci, je définirai comme alternatives valables toutes les occasions qui rencontrent mes critères obligatoires.

Différentes méthodes pourront me permettre de réaliser cette recherche, lesquelles devront être adaptées à la situation précise.

Dans le cadre de l'achat d'une voiture, je pourrai me renseigner auprès de différents concessionnaires, lire des revues spécialisées, prendre connaissance des petites annonces, rencontrer des personnes qui ont des voitures à vendre dans la catégorie que je recherche, rencontrer des revendeurs de voitures usagées, visiter des salons d'automobiles, etc.

Dans cet exemple précis, le marché de la voiture usagée étant presque illimité, je me limiterai naturellement aux voitures et aux catégories qui me plaisent le plus.

Je pourrai cependant vérifier certaines combinaisons (par exemple, voitures moins dispendieuses mais plus âgées, plus spacieuses mais américaines, neuves mais plus coûteuses, etc.) et, selon les résultats de cette recherche, je pourrai reconsidérer certains éléments de ma grille d'évaluation (que vous pourrez par exemple insérer comme alternative au critère obligatoire de prix, la possibilité d'acheter une voiture de plus de 15 000 $ avec un financement réparti sur une plus longue période, ou encore une voiture neuve dont le coût d'achat comprend l'entretien pour une certaine durée, un crédit-bail plutôt que l'achat).

Dans un autre contexte (par exemple, dans le cas de l'achat de matières premières pour une entreprise), certaines alternatives nécessiteront plus de créativité afin d'ouvrir le champ de la meilleure alternative.

Par exemple, s'il n'y a qu'un fournisseur reconnu d'une pièce d'équipement donnée, le négociateur pour l'acheteur pourra, afin d'élargir ses horizons, rechercher certaines alternatives telles l'importation de cette pièce d'un autre pays, la fabrication ou la sous-traitance de la fabrication de la pièce, le remplacement de la pièce par une autre pièce qui peut y être substituée, la modification à certaines spécifications, la combinaison de la commande pour cette pièce avec une commande pour d'autres pièces où le fournisseur n'est pas exclusif, l'inclusion de cet achat dans une plus grosse commande mieux répartie dans le temps ou, vice versa, en plusieurs petites livraisons afin de répartir le paiement du prix, etc.

La créativité sera ici une force déterminante afin de découvrir toutes les options disponibles au négociateur.

S'il y a plusieurs personnes concernées par la négociation ou si le négociateur représente une partie, ce travail devra se réaliser conjointement entre les personnes concernées et celles qui possèdent les informations sur les alternatives qui peuvent être considérées. Dans le contexte où plusieurs personnes sont impliquées dans ce processus, la recherche pourra souvent se réaliser par un exercice de type remue-méninges («brainstorming») ou par des échanges où l'on tentera de retrouver le plus d'alternatives possibles sans, à cette étape-ci, les évaluer ou les écarter trop rapidement.

c) *Troisième étape : vérification des différents éléments des alternatives retrouvées*

De la liste d'alternatives qui a été complétée au cours de la deuxième étape, il faudra choisir les quelques plus attrayantes et procéder à une analyse plus complète à leur égard.

S'agit-il d'alternatives réalisables? Y a-t-il des coûts ou des frais cachés? Quels sont leurs avantages et leurs inconvénients réels? Sont-elles réellement disponibles et pour combien de temps?

Au fond, il s'agira à cette étape-ci de nous assurer que les alternatives qui nous apparaissent les meilleures existent vraiment et que nous les avons correctement évaluées.

Nous avons vu dans l'un des exemples examinés plus tôt que, si une alternative nous apparaît très attrayante mais ne nous est pas disponible, elle pourra constituer un leurre qui nous empêchera de conclure une entente ou nous placer ultérieurement dans une situation difficile si nous ne pouvons y recourir.

d) *Quatrième étape : sélection des quelques meilleures alternatives et leur évaluation plus complète*

Une fois un certain nombre d'alternatives considérées et vérifiées, nous mesurerons dans quelle mesure celles-ci répondent bien à la grille d'évaluation que nous avons établie au cours de la première étape (et que nous avons peut-être modifiée par la suite).

Nous reprendrons donc chacune des alternatives retenues et mesurerons celles-ci aux différents éléments de notre grille.

Évidemment, nous écarterons alors celles qui ne répondent pas aux critères obligatoires qui seront encore retenus.

Ensuite, les autres seront évaluées en fonction de chacun des différents critères désirés.

À la fin de cette étape, nous devrions être en mesure de dégager l'alternative (ou, parfois, les quelques alternatives) qui nous apparaît la plus avantageuse en réponse à nos attentes.

Cette alternative ou ces quelques alternatives retenues, dûment considérées, vérifiées et évaluées, constitueront, dès lors, notre plancher.

En effet, ce ne sera que dans la mesure où l'accord que je peux conclure avec vous pour l'achat de votre voiture m'apparaît plus satisfaisant à ma meilleure alternative eu égard à mes intérêts perçus que je conclurai avec vous l'accord. Dans le cas contraire, je ne compléterai pas d'accord avec vous mais, plutôt, je me retournerai vers la meilleure ou les meilleures alternatives retenues.

e) *Cinquième étape : suivi de la meilleure alternative à la solution négociée tout au long de la négociation*

Le temps étant un facteur qui modifie, parfois à notre avantage parfois à notre détriment, toute situation, il ne faudra pas perdre de vue pendant la négociation que la meilleure alternative que nous avons retenue en début de négociation est susceptible d'évoluer ou, encore, que de nouvelles alternatives peuvent s'offrir à nous alors que des alternatives existantes peuvent cesser de nous être disponibles.

Aussi, tout au long de la négociation, le négociateur consciencieux jettera de temps à autre un oeil à sa meilleure ou à ses meilleures alternatives afin de vérifier l'évolution de celles-ci.

La meilleure alternative retenue est-elle encore disponible? Y a-t-il de nouvelles alternatives plus attrayantes qu'il convient de considérer? Les alternatives prévues sont-elles devenues caduques? Les intérêts perçus ou les attentes se sont-elles modifiées de façon à changer les critères d'évaluation autant de la solution négociée que des alternatives retenues?

Aussi, et surtout dans des négociations qui peuvent s'étendre sur plusieurs semaines voire quelques mois, il sera important pour le négociateur de toujours se tenir au fait de la situation des meilleures alternatives afin de préserver la validité de son outil de base que constitue la meilleure alternative à la solution négociée.

3. À la recherche maintenant de la meilleure alternative à la solution négociée de son protagoniste

La négociation est, par définition, un échange où il y a au moins 2 parties.

Comme nous l'avons vu plus tôt, notre meilleure alternative à la solution négociée constitue le niveau minimal auquel nous serons prêts à conclure une entente mais il demeure qu'il s'agit d'un mode d'observation qui ne concerne qu'une seule des parties.

Un autre outil important dont je pourrai vouloir me doter dans la négociation (bien qu'il soit moins fréquemment utilisé que le précédent) sera l'établissement d'une hypothèse valable quant à la meilleure alternative d'une solution négociée du protagoniste ou des protagonistes à la négociation.

Cet outil est valable dans la mesure où je prends pour acquis que, dans le cadre de la négociation, (1) vous connaissez vous-même votre meilleure alternative à la solution négociée ou que, en vous la faisant découvrir, je peux réussir à obtenir un meilleur résultat dans la négociation, et (2) que vous n'êtes pas suffisamment contraint à conclure un accord avec moi qui vous serait moins favorable que votre meilleure alternative.

Si les deux prémisses sont exactes, il peut être fort intéressant et important pour moi d'établir l'hypothèse de ce qu'est votre meilleure alternative à la solution négociée.

Je procéderai, afin d'obtenir cette hypothèse, un peu de la façon dont j'ai déjà procédé pour obtenir ma meilleure alternative à la solution négociée.

Il est évident cependant que le résultat sera quelque peu moins précis puisque je n'obtiendrai pas aussi facilement les données de base qui m'ont permis d'établir ma propre meilleure alternative.

Si j'ai pris soin de rechercher votre meilleure alternative et que, une fois mon travail complété, je crois détenir une hypothèse relativement vraisemblable de ce qu'est votre meilleure alternative, la marge au-dessus de ma meilleure alternative à la solution négociée qui, de votre angle, se situe également au-dessus de votre meilleure alternative à la solution négociée, constitue une marge discrétionnaire dans la négociation où je pourrai tenter d'obtenir un accord qui me soit plus favorable que ma meilleure alternative sans, pour autant, diminuer pour vous la préférence de l'accord sur votre meilleure alternative.

Aussi, la recherche de la meilleure alternative à la solution négociée pour le protagoniste permet de dégager avec encore plus d'évidence son intérêt à négocier, la marge discrétionnaire à l'intérieur duquel un accord sera préférable pour les deux que notre meilleure alternative respective ainsi que certaines stratégies de négociation telles, par exemple, la divulgation d'informations qui vous permette de mieux saisir ou mesurer votre meilleure alternative à la solution négociée telle que je la perçois.

Si j'utilise cet outil que constitue la recherche de votre meilleure alternative à la solution négociée, il est évident que le suivi de mon hypothèse tout au long de la négociation sera encore plus important que le suivi de l'hypothèse concernant ma propre meilleure alternative. En effet, les informations que je pourrai obtenir tout au long de la négociation pourront me permettre de confirmer, de modifier ou d'infirmer l'hypothèse que j'aurai initialement établie et de mieux ajuster mon tir quant à votre perception de la situation et de votre intérêt à négocier.

Également, si j'ai pris le temps de bien accomplir le travail nécessaire à la recherche de votre meilleure alternative, je pourrai utiliser cette stratégie fort importante qui consiste à modifier, à mon avantage, ma meilleure alternative à la solution négociée ou la vôtre, ce que nous verrons ci-après.

4. Modifier sa meilleure alternative à la solution négociée ou celle du protagoniste

Dans beaucoup de cas, il est possible de modifier sa meilleure alternative à la solution négociée ou celle de son protagoniste.

Il peut s'agir là d'une stratégie fort importante d'autant plus qu'elle est souvent réalisée avant même le début des discussions et d'une façon non agressive.

Ainsi, il sera possible pour moi de retarder le début de la négociation afin de l'entreprendre à un moment où cela m'est plus favorable, de rechercher des alternatives que je n'ai pas considérées initialement (telles, par exemple, dans le cadre de l'achat d'une voiture, la possibilité d'acheter une voiture endommagée et de la faire réparer, etc.), d'élargir le marché où les horizons initialement considérés (par exemple, en considérant l'achat d'une camionnette plutôt que d'une voiture) ou d'élargir les barrières géographiques que j'ai fixées à ma recherche (en vérifiant, par exemple, s'il n'y a pas de meilleures occasions en Ontario ou au Nouveau-Brunswick qui feraient en sorte que, même une fois le transport payé, je pourrais obtenir encore une meilleure alternative).

Dans le cas de la meilleure alternative à la solution négociée de mon protagoniste, je pourrai également tenter d'entreprendre la négociation au moment où celle-ci lui est moins favorable (par exemple, lorsque les nouveaux modèles sortent alors que sa voiture sera considérée plus vieille d'un an), de prolonger la négociation (il est plus vraisemblable que j'obtiendrai un prix satisfaisant si vous n'avez pu la vendre malgré plusieurs efforts pendant plus de trois mois que si vous venez juste de placer votre première petite annonce) ou en introduisant dans la négociation certains éléments qui vous sont alors inconnus (par exemple, la sortie d'un modèle entièrement redessiné qui diminuera la valeur de revente de la vôtre ou en vous révélant, après examen, que votre véhicule nécessite certaines réparations ou travaux d'entretien prochains que nous n'aviez pas prévus).

Évidemment, il me sera impossible d'accomplir un travail qui vise à modifier ma meilleure alternative à la solution négociée ou la vôtre si je ne l'ai pas tout d'abord adéquatement identifiée.

5. Le travail préalable est un élément primordial du succès du négociateur

Il se peut bien que le travail que je vous ai décrit dans le présent chapitre vous apparaisse fastidieux et semble intégrer dans la négociation un élément peu intéressant et peu valorisant à première vue.

Ceci démontre que la négociation n'est pas seulement un concours de personnalité mais est, encore plus, une méthode de satisfaire nos intérêts qui nécessitent du travail et où la récompense que constitue le résultat de la négociation sera souvent en relation directe avec les efforts investis.

Au-delà de l'aspect fastidieux du travail qu'il faut compléter afin de dégager sa meilleure alternative à la solution négociée et celle de son adversaire, et de les modifier au besoin, imaginez-vous que vous entreprenez une négociation importante pour vous (par exemple, l'achat d'une maison ou un changement d'emploi) en possédant en mains le résultat de ce travail, c'est-à-dire une description précise et une évaluation de votre meilleure alternative à la solution négociée et de celle de l'autre partie.

Ne croyez-vous pas que vous entreprendrez alors la négociation avec beaucoup plus de fermeté et avec un sentiment de force beaucoup plus grand que si vous entrepreniez tout simplement une négociation sans ne rien connaître de ce qui peut se produire pour vous dans l'éventualité où une entente n'est pas conclue.

Un tel examen devrait vous révéler clairement le degré de force et de fermeté que vous pourrez obtenir dans le contexte d'une négociation en possédant en mains l'outil essentiel dans la plupart des négociations que constitue la meilleure alternative à la solution négociée.

Si vous possédiez un tel outil au moment où vous entreprenez une négociation, ne sentiriez-vous pas dès lors que la personnalité de l'adversaire, le rapport de force qui peut exister entre vous et les différentes tactiques que l'autre protagoniste pourra utiliser dans le cadre de la négociation deviennent soudainement beaucoup moins importants puisque vous aurez déjà mesuré, de façon objective, le point au-dessous duquel vous ne voudrez pas conclure un accord.

D'ailleurs, même une fois l'accord conclu, le cas échéant, vous serez beaucoup moins hésitant à donner suite à cet accord et à aller de l'avant si vous avez déjà mesuré vos alternatives que vous ne le seriez si, n'ayant pas considéré les alternatives, vous en veniez, une fois seulement l'accord conclu, à vous poser la question à savoir si une alternative ou des alternatives n'auraient pas été préférables pour vous à cet accord.

En guise de conclusion, nous devons constater que le travail préalable à la phase de discussion et de communication proprement dit peut être fort aussi déterminant du succès du négociateur que ses capacités de communication lors des échanges avec l'autre partie. Il ne serait pas exagéré, selon moi, de dire que plus de la moitié des chances de succès dans une négociation dépendent de la réalisation d'étapes qui doivent être accomplies avant même d'entreprendre les discussions avec l'autre partie.

CHAPITRE 5

RECHERCHER LA MEILLEURE SOLUTION PARMI PLUSIEURS OPTIONS

Au cours des années 1970, une entreprise d'un genre tout à fait nouveau a été mise sur pied par des spécialistes de la négociation coopérative.

Cette entreprise s'est donnée comme mission exclusive d'améliorer les solutions négociées.

Son intervention, à titre de conseil, consistait à prendre une solution déjà convenue par suite de négociations et, après recherches, de proposer aux parties une solution qui soit encore meilleure pour elles que la solution à laquelle elles en étaient arrivées au terme de leurs discussions.

La rémunération de cette entreprise consistait en un pourcentage du gain total que la solution proposée par elle présentait par rapport à la solution négociée.

La seule existence d'une telle entreprise constitue une démonstration pratique du fait que les négociateurs ont tendance à trop rapidement se placer des oeillères et à envisager seulement les solutions se situant quelque part entre leurs positions initiales respectives ou ne s'écartant que très peu de cette ligne droite.

Parfois par hâte de conclure une entente, parfois par gêne ou insouciance de rechercher les intérêts véritables en jeu, parfois encore par crainte de faire entrer dans la négociation des éléments nouveaux qui pourraient rendre leur travail plus complexe, des négociateurs négligent malheureusement cette partie de leur mandat qui consiste à rechercher la meilleure solution possible.

Prenons l'exemple suivant.

Après plusieurs années de travail ardu, je décide de mettre en vente mon entreprise déjà florissante mais pour laquelle j'entrevois un avenir encore meilleur puisque les efforts importants investis en recherche et développement depuis les 5 dernières années n'ont vraiment commencé à rapporter leurs dividendes qu'au cours des quelques derniers mois.

Après discussions, vous vous déclarez intéressé à acquérir cette entreprise.

Cependant, nos discussions tournent rapidement à l'impasse. Pourquoi?

Tout simplement, parce que j'établis mon prix de vente en tenant compte des probabilités de résultats financiers futurs encore meilleurs qui découleront des recherches passées alors que vous n'êtes pas du tout convaincu du potentiel de profits futurs de l'entreprise, les résultats financiers à ce jour ne démontrant pas encore vraiment une nouvelle tendance à la hausse des profits.

Comment résoudre une telle impasse?

Face à ce problème relativement fréquent en matière de vente d'entreprise, les juristes spécialisés en cette matière ont conçu des mécanismes contractuels en vertu desquels le prix d'achat payable est initialement basé sur les résultats actuels (selon la position de l'acheteur) mais peut être augmenté à l'avenir si les résultats s'améliorent comme le prévoit le vendeur.

Ainsi, si les probabilités prévues par le vendeur se réalisent, ce dernier touchera le prix espéré alors que si les résultats prévus par le vendeur ne se concrétisent pas, l'acheteur ne paiera pas plus que la valeur présente. À l'inverse, dans d'autres cas, le prix sera initialement établi en tenant compte des prévisions du vendeur mais pourra être réduit si ses prévisions ne se réalisent pas.

Naturellement, l'établissement de ces mécanismes requiert un travail additionnel important de la part des négociateurs. Ils devront s'entendre, entre autres, sur le mode de calcul, les critères, les normes, la définition des termes, les méthodes comptables utilisées, etc. Ce travail est cependant nettement préférable à l'impasse qui résulterait autrement.

De la même façon, autant dans des domaines personnels que commerciaux, l'on s'est aperçu que plusieurs résultats de négociation pouvaient être rendus nettement plus avantageux pour l'une ou l'autre ou pour les deux parties lorsque l'on tenait préalablement compte des aspects fiscaux d'une entente projetée (impôts sur le revenu, impôts fonciers, taxes de vente, etc.).

Dans son autobiographie, Lee Iacocca, président du géant de l'automobile Chrysler, traitant de la prise de décisions, disait: «Ne prenez jamais une décision sans avoir au moins le choix entre vanille et chocolat. S'il y a plus d'un million de dollars en jeu, ce serait une bonne idée d'avoir aussi le choix avec la fraise.»

Cette citation s'applique très bien à la négociation.

Il est important de vérifier si, en modifiant certains éléments de l'entente projetée, en en remplaçant certains ou en en intégrant de nouveaux, il n'est pas possible d'accroître les bénéfices de l'entente et de satisfaire encore mieux les intérêts des deux parties d'au moins l'une d'entre elles sans diminuer pour autant la satisfaction des intérêts de l'autre.

Ce travail de recherche d'une meilleure solution que celle qui peut résulter d'un simple compromis doit débuter dès l'implication initiale du négociateur, se poursuivre tout au long du processus de discussions et se compléter lorsqu'une entente apparaît être conclue, mais évidemment avant que l'entente finale ne soit signée.

Avant le début des discussions, le négociateur (qui aura tout d'abord pris soin d'établir des hypothèses réalistes quant aux besoins perçus et aux attentes des parties concernées) se livrera, souvent en équipe et généralement avec la partie qu'il représente, à une ou des séances de remue-méninge au cours desquelles les participants tenteront d'établir toute une série d'ententes différentes possibles pouvant satisfaire, en totalité ou en grande partie, les intérêts des parties.

Cette série d'hypothèses d'accords sera classée dans le coffre d'outils du négociateur qui pourra, tout au long du processus de négociation, y référer si une voie choisie au cours des discussions mène à une impasse.

Les différentes autres hypothèses qui auront été initialement étudiées lui permettront d'envisager les discussions sous un angle nouveau et de dénouer, dans plusieurs cas, les impasses apparentes.

De la même façon, lorsqu'une série d'hypothèses aura été établie, la partie et le négociateur pourront s'entendre sur les qualités de ces différentes options afin d'en arriver à la solution qui apparaît la meilleure à ce stade, solution que visera alors à obtenir le négociateur au terme de ses discussions avec l'autre partie.

Également, tout au long du processus de négociation proprement dit (c'est-à-dire pendant les discussions), le négociateur n'hésitera pas à revenir, seul ou parfois même avec l'autre négociateur, sur les intérêts et les attentes de chacune des parties afin de s'écarter des positions prises et de ramener le débat dans un cadre plus large où les négociateurs (et les parties concernées), plutôt que d'agir comme des adversaires, oeuvreront comme des alliés à la recherche d'une solution commune qui soit la plus satisfaisante pour leurs intérêts et attentes respectifs.

Plusieurs méthodes pourront être utilisées par le négociateur pour ce faire incluant notamment des rencontres informelles où les participants s'entendront au préalable sur le fait que les hypothèses qui seront discutées n'engagent en rien aucune d'entre elles mais ne constituent qu'une recherche d'une meilleure solution, des rencontres à différents paliers qui mettraient en présence les personnes qui connaissent mieux une partie du problème ou de la divergence (par exemple, dans le cas d'une entente de coparticipation dans un domaine technologique, des rencontres entre les ingénieurs et les dirigeants des services de recherche et de développement qui seront impliqués dans le projet), ou, carrément, des rencontres informelles hors du cadre officiel de négociation où le négociateur tentera avec l'autre négociateur et avec les autres participants à ces rencontres de dégager différentes hypothèses qui peuvent être différentes et parfois même meilleures que celles jusqu'alors négociées à la table.

Aussi, le négociateur pourra, dans le cadre de son travail, apporter à la table de négociation des éléments nouveaux et ne pas hésiter, même au risque de complexifier sa tâche si cela doit être à l'avantage des parties, à amener des éléments nouveaux ou à proposer des modifications au cadre de l'entente afin d'en arriver à une meilleure solution.

Voyons maintenant l'une des techniques, pourtant reconnue en négociation, qui empêche souvent les négociateurs d'exercer entre eux cet effort de créativité que nécessite la recherche d'une solution meilleure au simple compromis.

Dans beaucoup de négociations, il est admis comme acceptable et productif de s'entendre sur chacun des points à négocier au fur et à mesure des discussions et à sceller cette entente point par point.

Ainsi, après le premier point, les parties, si elles en arrivent à une solution, concluront une entente qui sera finale quant au point 1 et ainsi de suite pour chacun des points subséquents.

Cette méthode, même si elle a le mérite de permettre aux parties et à leurs négociateurs de vérifier le progrès de la négociation, présente en effet le grand inconvénient d'attacher les parties à des ententes antérieures sur des points donnés qui peuvent malheureusement nuire à la recherche de solutions de rechange qui, globalement, pourraient leur être beaucoup plus favorables.

La méthode qui permet, dans le cadre de discussions, d'éviter cet inconvénient consiste pour les parties à envisager les différents points et à conclure des ententes préliminaires sur ceux-ci sous la condition cependant que leur accord ne constitue qu'un cadre de travail qui pourra être modifié lors de l'étude et de la discussion de points subséquents afin d'en arriver, à la fin des discussions, à un tout que les parties pourront accepter ou encore chercher à améliorer pour en arriver à la meilleure solution possible qui deviendra alors l'objet de l'accord final.

Cette tendance à négocier et à conclure chacun des points individuellement peut limiter de beaucoup la recherche d'options et de solutions alternatives meilleures lors de l'étude de points subséquents puisque toute option à l'égard de ces points subséquents devra tenir compte des ententes sur les points précédents qui pourront alors jouer un rôle déterminant dans les choix possibles.

La méthode qui consiste à procéder à un exercice qui ne lie pas les parties a le grand avantage de permettre à chacune d'elles d'être plus ouverte sur ses choix (puisque ces derniers ne la lient pas immédiatement) et plus ouverte également à l'étude et à la considération positive des différentes options qui pourront être considérées comme partie d'un tout qui ne sera évalué qu'à la fin en tenant compte de l'ensemble des éléments contenus.

Même une fois que le tout semblera avoir été élaboré, chacune des parties pourra tenter d'améliorer la solution globale, même en revenant sur des points antérieurs, puisque les accords préliminaires ne l'engageront pas jusqu'à ce que le cadre final de la solution soit globalement accepté.

Par ailleurs, sur le plan psychologique, même s'il existe une entente spécifique entre les parties à l'effet que leur accord respectif sur chacun des points ne les lie pas, il est évident que des parties de bonne foi hésiteront à revenir sur des solutions préalablement acceptées, à moins d'être en mesure d'en proposer de nouvelles qui apparaissent meilleures ou plus favorables aux deux parties.

Également, dans le cadre de la recherche d'une meilleure solution globale, les parties pourront tenir des séances de travail séparées de la négociation principale où des personnes compétentes se rencontreront afin de discuter de sujets spécifiques et d'élaborer, dans un climat purement créatif, des options et des idées sur ces sujets pour ensuite ramener toutes ces solutions potentielles à une table centrale où les négociateurs pourront avoir en mains un éventail plus large d'idées dans la quête d'une solution globale qui pourrait constituer la base d'un accord.

Lors de plusieurs négociations américano-soviétiques dans le domaine du désarmement nucléaire, des rencontres préalables ont été tenues entre des techniciens et des spécialistes des deux nations afin d'envisager toute une série d'options, alors que tous savaient qu'aucune de ces personnes n'avait quelque pouvoir de décision que ce soit.

Compte tenu de cette absence d'autorité connue, les personnes impliquées dans ces séances de travail se sont souvent montrées beaucoup plus ouvertes quant aux solutions qui pourraient être envisagées et quant à leurs possibilités d'acceptation par leurs gouvernements respectifs ouvrant ainsi la voie à des avenues nouvelles pour des personnes devant être impliquées dans les négociations formelles.

L'une des techniques utilisées dans plusieurs autres types d'activités consiste dans des séances de remue-méninges, soit des rencontres où l'on établit un processus créatif suivant lequel toutes les idées générées sur un sujet, une divergence ou un problème, même les plus farfelues, peuvent être exprimées tout d'abord sans critique lors d'une première étape pour servir ensuite de matériel de base à un travail d'évaluation et à l'élaboration d'idées plus adéquates lors d'une étape subséquente et distincte.

Aussi, l'on aura parfois recours à des jeux de rôles où des gens se placeront dans la peau de l'autre partie ou dans un autre rôle afin de mieux comprendre le point de vue de cette dernière.

Ces deux dernières techniques peuvent constituer des outils fort importants afin de faire débloquer des négociations où l'on semble avoir des difficultés à trouver des solutions satisfaisantes pour les deux parties.

Le négociateur ne devra donc pas hésiter dans ses efforts créatifs afin de générer la plus grande quantité d'options possibles parmi lesquelles les parties pourront éventuellement en arriver au choix de la meilleure solution.

Ce travail d'ailleurs ne se termine pas avec l'entente préliminaire puisque, une fois une entente globale préliminaire conclue, le négociateur devra encore, une dernière fois, considérer autant l'ensemble de l'accord que chacun de ses éléments par rapport aux intérêts des parties et aux attentes connues afin de déterminer si certaines modifications, ajouts ou retranchements à l'accord pourraient permettre d'en arriver à une solution globale encore meilleure.

Pour imager quelque peu nos propos, disons que nous croyons que le négociateur devrait porter autant d'attention aux possibilités qui s'offrent aux parties d'agrandir le gâteau que sur la façon dont celui-ci doit être divisé entre les différentes parties concernées.

Le travail que nous avons vu dans le présent chapitre est malheureusement trop souvent ignoré de négociateurs qui considèrent, à tort selon nous, que leur seul travail consiste à diviser le gâteau à l'avantage de la partie qu'ils représentent et ne considèrent pas le fait que d'agrandir la taille du gâteau peut être beaucoup plus satisfaisant pour les deux parties que la simple division d'un gâteau de grandeur réduite.

CHAPITRE 6

FAITES DES HYPOTHÈSES MAIS NE VOUS Y FIEZ PAS

1. Le monde intrigant des hypothèses

L'une des grandes difficultés à laquelle est confronté tout négociateur est la nécessité de bien distinguer entre les faits vérifiés, d'une part, et les faits assumés ou les hypothèses, d'autre part.

Pour les fins de ce chapitre, nous désignerons sous le vocable «hypothèse», tout énoncé de fait (passé, présent ou futur) qui n'a pas été vérifié ou qui est susceptible d'être perçu sous des angles différents sans que l'on ne sache sous quel angle précis il nous a été énoncé.

Voyons deux exemples.

Tout d'abord, un énoncé de fait non vérifié.

Ce premier exemple est tiré d'un cas réel. Lors d'une négociation visant à la vente des actifs d'une entreprise de restauration, il a été question de savoir quels éléments d'actifs étaient inclus dans le prix global convenu et quels éléments d'actifs devaient être ajoutés à ce prix.

Il est coutume, dans cette industrie, de prévoir que le prix global convenu comprend tous les actifs à long terme mais que les actifs à court terme dont, notamment, les stocks de produits, doivent faire l'objet d'un inventaire à la date de remise de possession et sont vendus à un montant généralement équivalent au coût de ces produits pour le vendeur, lequel est alors ajouté au prix de vente global convenu.

Or, dans cette négociation précise qui impliquait les actifs de plusieurs restaurants, l'acheteur demandait au vendeur de mieux définir les actifs contenus dans le prix global convenu. Plus particulièrement, l'acheteur demandait au vendeur d'inclure dans le prix global des articles promotionnels détenus par chacun des établissements faisant l'objet de la vente.

Dans ce domaine, les articles promotionnels (constitués le plus souvent de posters, d'affiches, d'insertions dans les menus et de certains éléments décoratifs) ne représentent qu'un élément d'actif très mineur qui, le plus souvent, ne fait même pas l'objet d'un poste distinct au bilan.

Dans cette négociation, le vendeur ne se fit donc pas prier longtemps pour accepter la demande de l'acheteur d'inclure les articles promotionnels dans le prix global et, en ce faisant, de les exclure de l'inventaire de produits qui serait fait à la date de remise de possession puisque aucun prix additionnel ne serait ajouté pour ces articles.

Cependant, les restaurants faisant l'objet de la vente devaient entreprendre, immédiatement après la date de signature des contrats, une vaste campagne promotionnelle pour la période des fêtes au cours de laquelle les établissements offriraient en vente à leurs clients un petit jouet pour un prix de vente nominal de 99 ¢ (lequel représentait d'ailleurs le prix d'achat de ce jouet pour le vendeur). À la date de remise de possession, de l'entreprise à l'acheteur, le vendeur s'aperçut que les restaurants vendus détenaient pour près de 50 000 $ de ces articles promotionnels.

Aussi, en faisant une concession qu'il croyait très mineure (tout au plus de 3 000 $ à 4 000 $), le vendeur s'est fié à une hypothèse basée sur son expérience passée, à savoir que les articles promotionnels ne constituaient qu'un élément mineur. En ne vérifiant pas si cette hypothèse était exacte à ce moment précis de cette transaction, le vendeur s'est donc privé d'une somme de l'ordre de 45 000 $.

Il s'agit là d'un cas évident, selon nous, d'une hypothèse (c'est-à-dire d'un fait généralement assumé) basée sur l'expérience passée mais non vérifiée dans le contexte précis d'une transaction.

Il s'agit également d'un exemple frappant du risque que l'on court en négociation en acceptant des hypothèses sans les avoir vérifiées.

Voyons maintenant l'exemple d'une hypothèse constituée d'un énoncé de faits qui peut être perçu sous des angles différents sans que l'on ne sache sous quel angle il nous a été énoncé.

Vous êtes agent d'immeubles et vous recevez le mandat de vendre ma maison. Pour justifier le prix que je désire demander, je vous informe que j'ai investi plus de 50 000 $ sur ma demeure au cours des 3 dernières années.

Après avoir fixé le prix en tenant compte de mon énoncé, vous entreprenez les négociations avec un des acheteurs intéressés.

Face à un prix qui lui apparaît plus élevé que le prix couramment demandé dans le marché pour des maisons semblables, l'acheteur vous demande de lui fournir les preuves de l'investissement additionnel que j'ai fait sur ma maison. Vous venez donc me voir pour obtenir ces preuves et, après que je vous ai effectivement fourni des documents démontrant que j'ai dépensé plus de 50 000 $ sur ma maison au cours des 3 dernières années, vous vous apercevez que j'ai inclus dans ce montant plus de 30 000 $ de meubles neufs que j'ai acquis mais que, évidemment, j'apporterai avec moi lors de mon déménagement ou, encore, que la quasi-totalité de l'investissement de 50 000 $ a été rendue nécessaire par la correction de problèmes importants qui semblent se manifester, de façon régulière, au printemps de chaque année depuis que j'ai acquis la maison.

Comme vous pouvez le constater, mon énoncé initial se trouve tout à fait exact, c'est-à-dire que j'ai bien dépensé 50 000 $ au cours des 3 dernières années sur ma demeure.

Cependant, comme négociateur, vous avez fait l'erreur d'assumer dès le départ qu'il s'agissait de dépenses qui avaient été faites sur la maison elle-même et dont profiterait mon acheteur ou, sur un autre plan, de dépenses qui peuvent accroître la valeur de ma demeure. Or, tel n'est pas le cas ni dans l'une ni dans l'autre de ces situations.

Évidemment, une fois que vous aurez déjà informé l'acheteur de cet investissement, vous vous trouverez en situation fort délicate pour poursuivre les discussions avec lui après lui avoir fourni, dans l'une ou l'autre de ces alternatives, les éléments démontrant mon énoncé et justifiant mon prix.

Sur un plan plus global, il est important de comprendre que nous vivons quotidiennement d'hypothèses que nous n'avons le plus souvent pas besoin de vérifier.

Ainsi, nous travaillons en prenant pour acquis que nous serons rémunérés, nous conduisons notre voiture en considérant que nous ne serons pas tués dans un accident, nous concevons des enfants dans l'hypothèse qu'ils naîtront en santé et nous rédigeons notre testament avec la croyance que nos héritiers désignés nous survivront.

Les différentes hypothèses avec lesquelles nous vivons quotidiennement sont généralement basées sur notre expérience antérieure ou sur des faits qui nous ont été révélés par d'autres.

Ainsi, nous croyons que nous recevrons notre salaire ce jeudi parce que nous l'avons toujours reçu jusqu'à aujourd'hui; par ailleurs, nous croyons que la terre est ronde parce que des photos, des films et des enseignements nous indiquent qu'il en est ainsi.

Dans le déroulement de notre vie quotidienne, la quantité d'hypothèses que nous devons prendre pour acquises est tellement élevée que le travail qui consisterait à vérifier chacune d'entre elles est presque impossible à réaliser et, de toute façon, d'une utilité qui n'est pas toujours évidente.

Nous acceptons donc une telle quantité d'hypothèses à chaque jour que nous en venons, de façon bien inconsciente, à ne plus distinguer ce qui constitue une hypothèse de ce qui constitue un fait vérifié.

Bien que cela ne nous cause que très rarement des surprises importantes, dans le contexte précis d'une négociation, cela peut être désastreux.

En effet, le but d'une négociation étant de modifier notre rapport avec des choses ou avec des personnes et d'atteindre, pour les parties concernées, une meilleure satisfaction de leurs intérêts respectifs, il est important que les faits et les énoncés importants qui sont nécessaires à notre prise de décision à l'égard d'une possibilité d'accord projetée soient vérifiés et que nous ne nous contentions plus, dans ce cadre, d'hypothèses.

Il est donc nécessaire que le négociateur sache faire la part des choses entre des hypothèses et des faits vérifiés et qu'il sache quels sont les éléments importants de la négociation qui nécessitent la vérification des énoncés qui lui sont faits.

2. La réalité des choses peut être différente selon l'angle sous lequel elles sont perçues

L'un des aspects les plus perfides du domaine des hypothèses dans le cadre d'une négociation est cette constante suivant laquelle toute réalité peut être différente suivant l'angle sous lequel elle est examinée.

Même dans le cas de choses simples à constater et concrètes, il est fort possible d'en arriver à des conclusions très différentes dépendamment de l'angle sous lequel on examine une situation.

Prenons un exemple très simple et très concret.

Si vous vous placez face à moi et que je tends ma main droite de façon verticale entre nous deux, mon pouce se trouvera-t-il à la gauche ou à la droite des autres doigts de ma main? La réponse est évidente. Pour moi il sera placé à la gauche des autres doigts de cette main alors que pour vous il sera placé à la droite.

Il peut s'agir là d'un exemple un peu simpliste mais qui est quand même révélateur. En effet, la façon dont l'un des doigts d'une main est placé par rapport à un autre est un fait très simple de la vie. En fait, tellement simple que si j'arrive à une table de négociation et que je dis que mon pouce est placé à la gauche des autres doigts de ma main droite, personne ne me questionnera.

Or, cela est vrai si je suis la personne qui examine la main tendue devant moi mais cela est faux sous l'angle de l'autre personne placée face à moi qui examine la même main.

D'ailleurs, la situation n'est pas non plus si simple; en effet, même pour moi, la description que j'en fais est fausse si ma main est placée entre nous deux la paume tournée vers moi alors qu'elle ne deviendrait exacte que si ma main est placée entre nous deux la paume tournée vers vous.

Dans plusieurs exercices concrets sur les assumations et les hypothèses, les animateurs ont pu, en modifiant l'angle sous lequel les participants étaient amenés à voir une situation, en arriver à des réponses différentes à des questions aussi simples que :

- 1 + 1 égale-t-il toujours 2?
- La terre est-elle ronde?
- 30 articles achetés à un prix unitaire de 20 ¢ coûtent-ils toujours 6 $?

En effet, il est possible, dans tous ces cas, en ajoutant, modifiant ou retirant certains éléments, d'en arriver à des réponses différentes à l'égard de situations qui, fondamentalement prises, nous apparaissent pourtant toutes évidentes.

Quelle est cependant l'application de ces quelques énoncés dans la négociation?

En fait, plusieurs outils devant être utilisés dans le cadre d'une négociation représentent une certaine réalité sous un angle donné.

Or, très souvent, ces outils sont présentés comme l'équivalent de la réalité qu'ils représentent et sans qualificatif nous permettant de voir sous quel angle ces outils ont été préparés et quelle portion de la réalité sont-ils destinés à refléter.

Voyons donc certains exemples concrets de l'utilisation d'hypothèses vues sous un angle particulier et présentées comme signifiant une réalité plus globale :

a) Les états financiers

Dans plusieurs négociations commerciales, les états financiers de l'une ou l'autre ou des deux parties seront des éléments importants des discussions.

Ainsi, que ce soit dans le contexte d'acquisition ou de vente d'entreprises, de coparticipation, de fusion ou de règlement de différends entre actionnaires, il sera important de bien connaître la situation financière des entreprises visées.

Pour ce faire, l'un ou l'autre ou les deux négociateurs auront donc recours, dans le cadre de la négociation, à l'analyse d'états financiers afin de faire comprendre leur position.

Ces états financiers, même vérifiés, représentent-ils toujours la réalité?

La réponse à cette question est à la fois affirmative et négative.

En effet, les états financiers préparés pour une entreprise représentent une certaine forme de réalité qui tient compte des règles imposées par les normes comptables généralement reconnues, par la qualification de certaines transactions effectuées au cours de l'année et par les affirmations faites par les dirigeants aux vérificateurs.

Par contre, certains renseignements contenus dans les états financiers doivent être examinés plus attentivement dans le contexte d'une négociation parce qu'ils peuvent ne pas convenir aux buts poursuivis par cette négociation.

Prenons le cas le plus simple d'une acquisition d'entreprise où vous agissez comme négociateur pour l'acheteur.

Les états financiers de l'entreprise que vous désirez acquérir peuvent révéler un certain nombre de renseignements qui nécessitent d'être recherchés plus spécifiquement. Ainsi, nous retrouvons, dans ces états financiers, de temps à autre :

- certaines dépenses qui sont portées au bilan comme étant des actifs à long terme. Ainsi, des dépenses visant à mettre en place un nouveau projet qui peut s'échelonner dans le temps peuvent ne pas apparaître comme des dépenses courantes à l'état des revenus et dépenses mais être plutôt capitalisées au bilan comme étant des actifs à long terme. Ceci a évidemment pour effet d'accroître le profit ainsi que la valeur nette de l'entreprise (si celle-ci est basée sur sa profitabilité) pour la période concernée;
- les provisions prises par les vérificateurs pour les mauvaises créances ainsi que pour certains autres éléments tels le vol et la disparition de produits, les pertes en cours de production, la valeur de l'inventaire, etc., dépendent essentiellement de données fournies aux vérificateurs par les dirigeants. Comme certaines de ces données ne constituent que des prévisions pour l'avenir (par exemple, les données relatives aux mauvaises créances prévues), les dirigeants possèdent une certaine latitude afin de présenter ces données de façon à accroître ou à diminuer le profit de l'entreprise;
- certaines dépenses apparaissant dans des états financiers peuvent également ne pas se rattacher à l'exploitation de l'entreprise. Ainsi, en sera-t-il de temps à autre pour des

dépenses reliées à l'utilisation de véhicules ou à des salaires payés aux dirigeants ou à des membres de leur famille qui ne sont pas requis, à strictement parler, pour les fins de l'exploitation de l'entreprise;

- de la même façon, certaines dépenses peuvent nécessiter une certaine discrétion exercée à l'intérieur de normes reconnues. Il en sera ainsi notamment de l'amortissement pour lequel les normes reconnues prévoient un plafond mais n'obligent pas toujours l'entreprise à utiliser la totalité de ce plafond. Par ailleurs, dans d'autres cas, il est important de reconnaître que certains équipements déprécient beaucoup plus vite que les plafonds d'amortissement reconnus par les principes comptables.

Nous pourrions, dans plusieurs situations, allonger de beaucoup cette liste.

b) Les statistiques ou les sondages

Les statistiques et les sondages constituent également un autre cas où il est impossible de bien comprendre la réalité reflétée sans connaître précisément l'angle sous lequel cette réalité a été examinée dans le cadre de la préparation de ces statistiques ou sondages.

Ainsi, la nature des questions posées, les échantillons utilisés (autant sur le plan du nombre, du territoire que du genre de produits échantillonnés), le temps pendant lequel l'échantillonnage a été commencé et plusieurs autres facteurs viendront affecter considérablement le résultat obtenu par des statistiques ou des sondages.

Une illustration fort révélatrice sur la distorsion qui peut être occasionnée par l'utilisation de statistiques est celle voulant que les statistiques démontrent que l'américain moyen possède 2 yeux, 2 oreilles, 1 nez, 1 bouche, 2 bras, 2 jambes, 1 sein et une testicule et est à 70 p. cent blanc et à 30 p. cent noir.

Les statistiques portant sur certaines données économiques telles, par exemple, le niveau d'inventaire dans les entreprises d'une industrie donnée, peuvent varier considérablement selon que l'étude a été complétée immédiatement avant la période annuelle de pointe de ce secteur d'activités ou immédiatement après ou qu'il s'agit d'une moyenne de plusieurs périodes.

c) *Les tableaux et les graphiques*

La présentation de données sous forme de tableaux et de graphiques s'est considérablement accrue au cours des quelques dernières années. En effet, les micro-ordinateurs modernes rendent très facile et très tentant la présentation de données sous forme de tableaux et graphiques autant à cause de la facilité de les préparer qu'à cause de l'impact visuel qu'ils peuvent avoir.

Or, il s'agit également d'une représentation et d'une réalité sous un angle donné qu'il convient de bien comprendre avant de pouvoir les analyser.

Ainsi, en plus de tous les éléments relatifs aux statistiques et sondages qui se retrouvent également lorsque nous traitons de données qui font partie intégrante des tableaux et graphiques, nous devons faire attention à l'impact visuel de ces graphiques, lequel peut être fort spectaculaire.

Si je désire représenter le fait que la courbe d'augmentation des profits de l'entreprise visée semble s'être infléchie au cours des dernières années, il me sera beaucoup plus facile de la faire en présentant le tableau suivant :

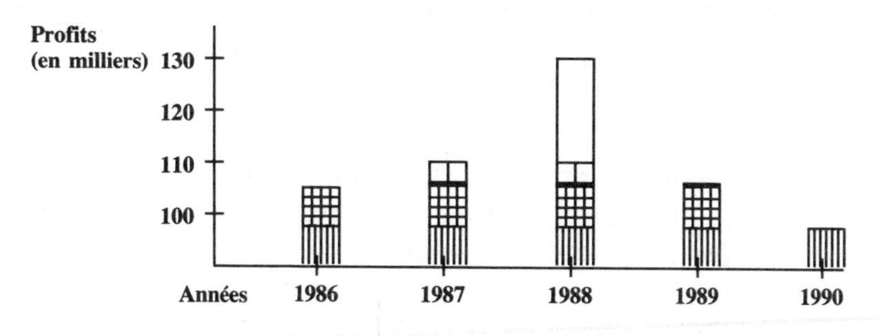

qu'en vous la présentant sous cet autre tableau :

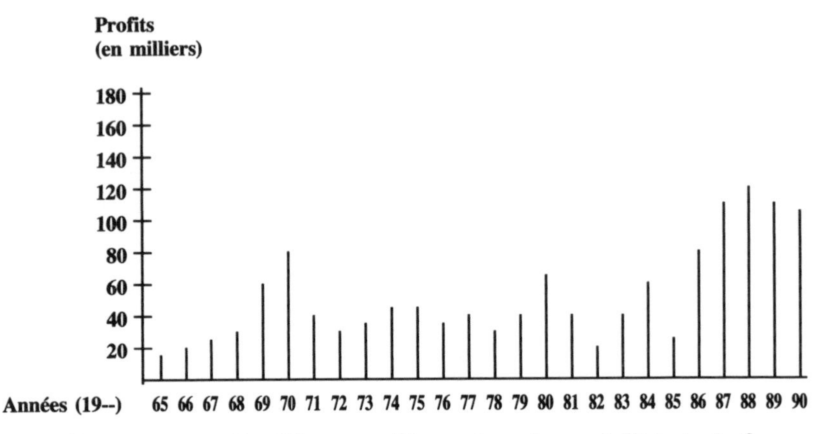

Pourtant, ces 2 tableaux reflètent la même réalité et, de façon objective, ils sont aussi adéquats l'un que l'autre.

Même en sachant que ces 2 tableaux représentent la même réalité, regardez à nouveau le premier en cachant le deuxième puis le deuxième en cachant le nouveau et vous aurez peine à retenir la même impression.

d) Le fractionnement d'un ensemble en de plus petites unités

Si je désire vous vendre une encyclopédie valant 500 $, croyez-vous qu'il me sera plus facile de vous convaincre de l'acheter si je vous mentionne dès le départ qu'il s'agit d'un achat de 500 $ ou, plutôt, si je vous mentionne que vous pourrez obtenir cette magnifique encyclopédie pour un versement nominal équivalent à un paquet de cigarettes par semaine.

Évidemment, pour la très grande majorité d'entre nous, la deuxième présentation apparaît beaucoup moins coûteuse que la première alors qu'il n'en est rien.

D'ailleurs, dans le domaine de la vente d'automobiles, il est aujourd'hui reconnu que le consommateur québécois achète beaucoup plus une automobile sur la base du versement mensuel que sur la base du coût total. Ceci explique notamment la popularité du crédit-bail automobile à long terme ainsi que des prêts bancaires pour automobiles dont le versement mensuel est plus bas en raison du fait qu'un montant en capital relativement important devient exigible à l'expiration de la période du prêt.

Aussi, en feuilletant votre journal, vous pourrez noter que la plupart des annonces de concessionnaires automobiles mentionnent en évidence le montant du versement mensuel qui serait requis pour acquérir une voiture alors que, à l'inverse, les annonces traitant de rabais mentionnent le montant total du rabais (par exemple, 1 000 $) et non pas l'effet de ce rabais sur les versements.

La seule exception notable à cette pratique concerne la vente des véhicules les moins chers sur le marché où le montant total peut être perçu comme un avantage concurrentiel.

Ceci démontre bien qu'il est souvent plus facile, autant dans une négociation que dans une vente, de faire accepter une proposition ou une demande en la présentant sous une forme fractionnée.

Ainsi, dans le cadre d'une négociation pour l'acquisition de 2 000 000 de pièces pour lesquelles le vendeur demande un prix unitaire de 2,25 $ chacune, il sera beaucoup plus facile pour le négociateur représentant l'acheteur de négocier sur la base du prix unitaire offrant, par exemple, 2,05 $ (demandant ainsi une concession de 20 ¢ du vendeur, laquelle apparaît nominale) que de négocier une concession de 400 000 $. Or, il s'agit évidemment de la même réalité.

Cette simple concession de 20 ¢ l'unité, qui apparaît nominale à première vue, apparaît également peu importante si on la compare exclusivement au prix de vente global. En effet, elle représente un peu moins de 9 p. cent du prix de vente.

Cependant, si le coût de fabrication de chacun de ces produits pour le vendeur représente 70 p. cent de son prix de vente, l'on constate alors que cette petite concession de 20 ¢ l'unité représente plus de 30 p. cent du prix brut du vendeur, à savoir une concession de l'ordre de 400 000 $ sur un profit brut de 1 350 000 $.

D'ailleurs, dans tous les cas, la proportion est encore plus forte lorsque l'on compare le montant de la concession au profit net du vendeur sur la transaction.

Cet exemple illustre bien que la façon dont une demande ou une proposition est présentée peut avoir un impact sur la probabilité qu'elle soit acceptée ou non.

Par ailleurs, de la part de celui qui reçoit une telle demande ou proposition, ceci démontre l'importance de bien replacer celle-ci dans son contexte global et de ne pas négocier sur la base d'un fractionnement mais, plutôt, de bien situer chacune des demandes et propositions dans son contexte global en y accordant l'importance qu'elle doit véritablement avoir dans un tel contexte.

Ainsi, nous ne devrions pas négocier l'achat d'un véhicule sur la base du paiement mensuel mais plutôt, dans un premier temps, sur la base du prix global puis, dans un deuxième temps, sur la base du taux de financement et de la période de financement et, enfin, s'il y a lieu, sur le solde résiduel du prêt ou de la location à la fin de la période de financement.

Cette façon de négocier nous permettra de mieux réaliser ce qui se passe à chacune des étapes et de négocier en dollars réels et non pas sur un résultat apparent qui peut être beaucoup plus coûteux que des alternatives qui peuvent nous être ouvertes à ce moment.

Les quelques exemples que nous venons de voir sont autant de situations où la réalité peut nous être présentée ou être perçue par nous d'une façon parfois trompeuse.

Il existe une quantité innombrable d'exemples ou d'illustrations de ce principe.

Pour le négociateur ou pour celui qui aspire à le devenir, ceci devrait démontrer la nécessité pour lui de se poser constamment la question à savoir s'il maintient son attention sur les véritables enjeux de la négociation et sur les éléments qui sont demandés ou concédés.

Sous un autre aspect, il faut également comprendre que la même réalité peut être perçue de façon différente par les parties et leurs négociateurs et qu'un négociateur expérimenté tentera de bien comprendre l'angle sous lequel la réalité est perçue par l'autre partie de façon à pouvoir, si cela est requis, modifier cette perception ou, dans un autre contexte, arriver avec une ou des propositions qui satisferont les besoins de l'autre partie tels que cette dernière les perçoit.

3. Faire des hypothèses mais ne pas s'y fier

Ce que nous avons vu au début de ce chapitre, à savoir que nous vivons quotidiennement dans un monde d'hypothèses, nous amène inéluctablement à la conclusion qu'il est impossible de fonctionner dans une négociation sans faire d'hypothèses.

Nous devons faire des hypothèses sur notre intérêt (lesquelles sont évidemment basées sur notre perception de celui-ci), sur les intentions de l'autre partie, sur la bonne foi de l'autre partie à négocier, sur les besoins de l'autre partie, sur les attentes véritables de l'autre partie, sur la probabilité d'en arriver à une conclusion qui satisfera nos besoins, sur l'évolution de la négociation, sur les circonstances externes qui peuvent affecter le résultat de la négociation ou la satisfaction de nos besoins, etc.

Il serait donc complètement utopique pour moi de vous dire que le négociateur ne devrait pas faire d'hypothèses. En effet, tout au long de la négociation, le négociateur doit fonctionner sur la base d'hypothèses pour chacun des sujets précités.

Cependant, ce qui différenciera à cet égard le négociateur professionnel de celui qui l'est moins est le fait que le négociateur professionnel réalisera et distinguera clairement les hypothèses avec lesquelles il travaille des faits qu'il a pu vérifier.

Ainsi, tout au long de la négociation, le négociateur chevronné, tout en fonctionnant sur la base d'hypothèses, cherchera à confirmer et à vérifier celles qui lui apparaissent importantes et procédera à se questionner de façon constante sur ses hypothèses non vérifiées de façon à vérifier, au moment où il doit donner son accord à une entente globale, tous les éléments importants des hypothèses sur lesquelles il a fonctionné tout au long de la négociation.

Évidemment, il restera toujours alors quelques hypothèses non vérifiées mais le négociateur chevronné saura distinguer, à tout moment, les hypothèses qui ont été vérifiées par lui de celles qui ne l'ont pas été et il comprendra qu'il assume un certain risque à l'égard de ces dernières, risque qu'il aura évalué et qu'il sera prêt à accepter lorsque viendra le temps de confirmer la conclusion de l'accord.

Par contre, le négociateur inexpérimenté confondra trop souvent les hypothèses non vérifiées avec les hypothèses vérifiées et pourra réaliser trop tard qu'il a conclu une entente en prenant pour acquis des hypothèses qui s'avèrent subséquemment inexactes ou incomplètes.

De la même façon, le négociateur expérimenté aura pris soin, avant de conclure l'accord, de bien replacer chacune des réalités qui lui sont présentées (que ce soit sous forme de faits, de propositions ou de demandes) sous un angle qui soit réaliste et global et ne pas accepter l'angle sous lequel elles lui ont été présentées comme représentant seule la réalité absolue.

Ainsi, si on présente des états financiers, même vérifiés, à un négociateur, et que ceux-ci sont destinés à démontrer certains faits importants pour le déroulement de la négociation et la conclusion de l'accord qui doit en résulter, le négociateur chevronné revérifiera un bon nombre de données de ces états financiers.

Tout d'abord, il vérifiera si la période couvre une année au complet ou seulement une portion d'année (dans ce dernier cas, des distorsions importantes peuvent être occasionnées par des activités saisonnières ou autres), si les principes comptables sont correctement appliqués, quel a été le but de la préparation de ces états (ainsi, de façon traditionnelle, des états préparés pour les fins d'obtention de financement peuvent présenter certaines réalités sous un jour beaucoup plus optimiste que ceux préparés pour fins fiscales), il s'attardera à un bon nombre de données apparaissant à ces états financiers qui peuvent dépendre de certaines décisions de la direction (taux d'amortissement et de dépréciation, réévaluation de certains actifs, capitalisation de certaines dépenses, dépenses encourues pour des fins autres que les fins courantes de l'opération des affaires, actifs non requis pour l'opération de l'entreprise, etc.).

Il s'agira, dans ce cas, comme dans toutes les autres situations relatives aux hypothèses, de s'assurer que ce qui nous est présenté reflète bien le fait que l'on tente de nous faire accepter. Dans beaucoup de cas, cet examen révélera que la conclusion proposée n'est que l'une parmi plusieurs, ce qui peut ouvrir la porte à différentes solutions nouvelles.

4. Vérifier les hypothèses majeures

L'objectif principal de ce chapitre a été de vous montrer le danger de se fier à des hypothèses ou de confondre des hypothèses et la réalité. Tout en reconnaissant qu'il est impossible de conduire une négociation sans faire usage d'un certain nombre d'hypothèses, il apparaît primordial que tout négociateur sache bien distinguer entre les deux et qu'il évite le risque de conclure une transaction sur la foi d'hypothèses importantes non vérifiées.

Cette vérification des hypothèses importantes devra être faite sur trois (3) plans.

Tout d'abord, le négociateur chevronné vérifiera la source des informations et s'assurera que d'autres sources ne fournissent pas des renseignements différents; deuxièmement, il s'assurera des données qui ont servi à la préparation des informations, de l'angle sous lequel elles ont été perçues, de leur origine, de la façon dont elles ont été organisées et, généralement, il s'assurera de bien comprendre leur signification véritable; enfin, le négociateur s'assurera que les données sont pertinentes à la négociation et qu'elles transmettent bien le message que la partie qui les présente veut bien leur donner.

Dans tous les cas, le négociateur devra demeurer en tout temps vigilant et conscient de bien différencier les hypothèses qui ne sont pas encore vérifiées de celles qui l'ont été et de bien comprendre les différents angles sous lesquels chacune d'entre elles (autant celles vérifiées que celles qui ne l'ont pas été) peuvent être examinées.

Les grands débats politiques sur l'opportunité économique de la souveraineté du Québec constituent d'ailleurs une autre illustration du fait que l'on peut utiliser plusieurs données pourtant factuelles pour leur faire transmettre le message que l'on souhaite.

Le négociateur devra donc faire extrêmement attention à ce piège qui peut être l'un des dangers les plus imminents qui guettent le négociateur insouciant.

CHAPITRE 7

LES DEUX CLÉS DU SUCCÈS: LA PLANIFICATION ET LA PRÉPARATION

En 1972, quelques semaines à peine après que j'ai commencé à travailler au sein d'un cabinet d'avocats, un vieil avocat fort réputé pour ses qualités de plaideur me fournit ce qui devait devenir l'idée maîtresse de mon travail autant en plaidoirie qu'en négociation. Selon lui, 80 p. cent des procès se gagnaient avant même l'arrivée des avocats au Palais de justice.

En me disant cela, il ne référait pas autant au fait que plus de 80 p. cent des causes se règlent avant jugement mais beaucoup plus au fait que l'avocat qui a bien accompli son travail de planification et de préparation arrive devant le tribunal avec un arsenal beaucoup mieux fourbi et qu'il peut accomplir alors un travail beaucoup plus efficace que celui qui improvise son argumentation et ses interrogatoires devant le tribunal au fur et à mesure que se déroule le procès.

En fait, un autre adage souvent utilisé par les plaideurs d'expérience veut qu'un avocat ne doive, devant un tribunal, jamais poser à un témoin une question si l'avocat ne sait pas au préalable quelle sera la réponse du témoin à celle-ci.

Ces idées s'appliquent également fort bien en matière de négociation.

Une expérience fut d'ailleurs tenue aux États-Unis à ce sujet.

Dans cette expérience, l'on a tout d'abord divisé un groupe de négociateurs en 2 sous-groupes, chacun des sous-groupes devant jouer le rôle d'une partie opposée à l'autre sous-groupe pour résoudre, par voie de négociation, un problème préparé par les examinateurs. Cette négociation était encadrée par une durée limite d'une heure.

Ensuite, avant que ne débute la négociation, l'on prit l'un des sous-groupes que l'on divisa en 3 équipes distinctes qui recevraient chacune des instructions légèrement différentes.

La première équipe de ce sous-groupe ne reçut aucune instruction particulière et commença immédiatement sa négociation avec l'autre sous-groupe pour la période fixée d'une heure.

La seconde équipe du sous-groupe fut soumise tout d'abord à une présentation au cours de laquelle on lui indiqua les bénéfices de la préparation et de la planification préalablement à la discussion sans cependant lui fournir aucune directive particulière à ce sujet.

La troisième équipe du sous-groupe fut soumise à la même instruction que la deuxième équipe mais reçut de plus la directive de consacrer les 10 premières minutes de l'heure que devait durer la négociation à préparer et à planifier celle-ci pour ensuite ne consacrer que 50 minutes à la discussion proprement dite.

Les résultats de cette expérience furent probants.

En fait, les négociateurs de l'équipe qui avaient reçu une instruction quant aux bénéfices de la planification mais aucune directive particulière firent légèrement mieux que ceux du premier groupe qui n'avaient reçu aucune instruction mais, par ailleurs, les bénéfices additionnels obtenus par ceux qui reçurent la directive de consacrer 10 minutes à la planification furent très évidents.

En fait, selon moi, la planification et la préparation constituent véritablement les 2 clés majeures du succès de tout négociateur.

Contrairement à une croyance populaire fort bien ancrée, la négociation n'est pas une joute verbale où les qualités oratoires sont l'arme de prédilection.

Même s'il faut reconnaître que la qualité d'un négociateur à présenter ses besoins, ses attentes et les faits pertinents au soutien de ses propositions d'une façon claire, compréhensible et non agressive vis-à-vis l'autre partie constitue sans aucun doute un outil important (la négociation est évidemment un exercice de communication), je suis convaincu qu'un travail de préparation et de planification bien mené est plus important pour le succès du négociateur que ses qualités oratoires.

Évidemment, si le négociateur possède les deux, il sera alors dans une position idéale pour en arriver à un résultat qui sera à la mesure des attentes de celui qu'il représente.

En effet, même avec les meilleures qualités oratoires au monde, il est difficile pour un négociateur d'atteindre un but s'il n'a pas au préalable décidé quel était ce but et s'il vogue lors des discussions au gré de la négociation.

La principale partie du travail de préparation et de planification doit généralement être accomplie avant même la première communication avec l'autre partie ou l'autre négociateur. En effet, il est difficile de déterminer ses buts et ses objectifs au même moment où l'on discute avec l'autre partie de la façon de les atteindre.

Par contre, le travail de préparation et de planification ne cesse pas lorsque débute la discussion.

Plusieurs négociateurs peu expérimentés font l'erreur fondamentale de considérer que la planification et la préparation constituent une première étape qui se termine avant le début des discussions et que la discussion et l'échange constituent une deuxième étape qui commence après la fin de la préparation et de la planification.

En faisant cette erreur, le négociateur poursuit ses discussions et évolue durant le cours de celles-ci sans tenir compte des changements qui peuvent être requis à son travail de planification et de préparation, laissant celui-ci statique et ne tenant pas compte des éléments nouveaux qui peuvent nécessiter qu'une partie du travail préparatoire soit revu tout au long de la discussion.

Aussi, il est important d'envisager le travail de préparation et de planification comme une étape qui, bien qu'elle se déroule en grande partie avant que les discussions ne commencent, se poursuit tout au long de ces discussions et jusqu'à ce que l'accord ait été finalisé.

Cela requiert qu'une planification ou une préparation dans le contexte d'une négociation peut varier d'un cas à l'autre tout dépendant du contexte particulier de chaque négociation; par contre, il existe un certain nombre d'éléments de base qui requièrent un travail de planification et de préparation dans la quasi-totalité des négociations.

Nous verrons donc ci-après les éléments de base qui constituent le noyau du travail de planification et de préparation. Il s'agit cependant là d'une liste qui n'est pas exhaustive et qui devrait être complétée par une analyse de chaque situation particulière.

1. La planification

Le but de la planification est de déterminer à l'avance les objectifs que l'on désire atteindre par la négociation ainsi que les moyens principaux que l'on prendra pour y parvenir.

Aussi, le travail de planification peut être divisé en 5 grandes questions soit : Quoi? Qui? Quand? Où? et Comment?

a) Quoi?

i) CE QUE L'ON RECHERCHE

Il sera nécessaire, dans un premier temps, de bien définir les buts et objectifs que nous poursuivons par la négociation.

Pour ce faire, il sera nécessaire de définir et vérifier nos attentes face à cette négociation et de s'assurer que celles-ci sont réalistes et que la négociation envisagée constitue le meilleur moyen de les satisfaire.

Je vous réfère à ce sujet au chapitre 2 qui traite des attentes et de la façon de bien les définir.

ii) LES DIFFÉRENTES MÉTHODES D'OBTENIR LA SATISFACTION DE NOS BESOINS ET ATTENTES

Une fois que nous avons bien défini nos attentes face à une situation donnée, il est important pour la partie de bien envisager les différentes alternatives, options et méthodes qui peuvent lui permettre d'atteindre celles-ci.

Dans cette étape, le négociateur et la personne ou les personnes qu'il représente feront l'exercice de rechercher toutes les alternatives qui s'offrent à elles pour satisfaire leurs attentes, de bien définir la meilleure alternative à la solution négociée pour cette partie ainsi que, dans le contexte même d'une négociation, les différentes options qui peuvent permettre de bien satisfaire les attentes.

Je vous réfère, à ce sujet, au chapitre 4 du présent document concernant la meilleure alternative à la solution négociée et au chapitre 5 concernant les options.

Il s'agira pour la partie et le négociateur de bien connaître et comprendre, à l'avance, quelles sont les alternatives qui sont offertes à eux, quelle est la meilleure alternative à la solution négociée (qui servira de barème d'évaluation de base du progrès de la négociation) et, dans le cadre même de la négociation, quelles sont les options qui peuvent être envisagées afin de mieux permettre la satisfaction des besoins et des attentes.

iii) LES POINTS À NÉGOCIER

Il sera aussi nécessaire, dans le cadre de la planification, de s'assurer que l'on connaît tous les éléments qui doivent être sujets à la négociation.

La quantité de ces éléments peut être parfois beaucoup plus élevée que ce à quoi l'on pourrait s'attendre dès le départ.

Ainsi, dans le contexte simple de l'acquisition d'une voiture usagée, l'on pourrait considérer les éléments suivants :

- l'examen du véhicule;
- le prix;
- les modalités de paiement du prix;
- le taux d'intérêts sur les paiements;
- les garanties de paiement;
- les cautions;
- les garanties quant à l'état de la voiture;
- les garanties quant aux droits du vendeur sur la voiture;
- les coûts d'un examen par un mécanicien;
- la date de livraison;
- le lieu de livraison;
- les accessoires (par exemple, pneus d'hiver);
- les frais de transfert et les taxes applicables au transfert;

- les réparations requises à la date de la vente, s'il y a lieu;
- le transfert des garanties que le vendeur possède concernant le véhicule (garantie du manufacturier, garantie des pneus, garantie de la batterie, garantie du système d'échappement, garantie du traitement antirouille, etc.).

Il sera très difficile, dans le feu d'une négociation, de savoir si l'on a effectivement bien couvert tous les éléments qui doivent faire l'objet de l'entente.

Tout élément qui n'aura pas été discuté lors du processus de négociation pourra devenir subséquemment un point chaud qui empêchera une bonne réalisation de l'accord intervenu.

Aussi, dans le processus de planification, il sera nécessaire de bien s'assurer que l'on possède une liste complète de tous les éléments que l'on désire clarifier par l'entente.

iv) CRITÈRES D'ÉVALUATION DES SOLUTIONS

Comme, au cours de la phase de discussion, le négociateur devra se montrer ouvert avec l'autre partie et travailler avec cette dernière à la recherche de cette solution qui permettra de mieux satisfaire les attentes respectives de chaque partie, il sera nécessaire que le négociateur possède tout d'abord un outil qui lui permettra d'évaluer rapidement les différentes options et alternatives qui peuvent lui être soumises ou qui peuvent être découvertes dans le processus de discussion.

Ces critères devraient d'ailleurs être mis par écrit dans une grille d'évaluation où chacun des éléments constituant les attentes de la partie qu'il représente seront indiqués avec, pour chacun d'eux, une définition de leur caractère (éléments obligatoires ou désirés) ainsi que, dans le cas des éléments désirés mais non obligatoires, l'importance relative qui leur est accordée.

Cette grille d'évaluation permettra au négociateur de vérifier rapidement toute nouvelle option ou alternative en s'assurant qu'elle répond aux éléments obligatoires des attentes et qu'elle satisfait le mieux possible les différents éléments désirés, en tenant compte de l'importance relative de chacun d'entre eux.

b) Qui?

i) IDENTIFICATION DES PARTIES

Il sera nécessaire pour une partie à la négociation de bien identifier quelles sont toutes les parties qui devront être impliquées dans cette négociation.

Il s'agit d'une question à laquelle il est souvent fort utile de répondre à l'avance puisqu'en de nombreuses occasions, ce qui apparaît évident à première vue est inexact ou incomplet.

Dans le contexte de la négociation que les États-Unis durent entreprendre pour obtenir la libération des otages détenus à l'ambassade des États-Unis à Téhéran, l'identification des parties semblait, à première vue, évidente.

En effet, les otages étant détenus par un groupe d'étudiants iraniens, les parties à la négociation semblaient être, de toute évidence, le gouvernement des États-Unis, d'une part, et le groupe d'étudiants qui détenaient les otages, d'autre part.

Tant que les États-Unis négocièrent directement avec le groupe d'étudiants en offrant des concessions qui répondaient aux demandes formulées par ceux-ci et en recevant de nouvelles demandes, les négociations tournèrent en rond.

Ce ne fut qu'au moment où les États-Unis commencèrent à négocier avec le gouvernement nouvellement en place en Iran, et non plus avec les étudiants, que la situation finit par connaître son dénouement.

En effet, les préoccupations et les besoins à long terme du gouvernement d'Iran firent en sorte que ce dernier put intervenir pour obtenir la libération des otages alors que les ravisseurs eux-mêmes, n'ayant aucun intérêt à poursuivre des relations à long terme avec les États-Unis et ne voyant aucun bénéfice éventuel à la libération des otages, ni aucun inconvénient à poursuivre leur détention, faisaient la sourde oreille aux différentes propositions formulées par les États-Unis.

Dans plusieurs cas, il peut être nécessaire ou utile d'impliquer dans une négociation des parties dont la présence ne semble pas nécessaire à première vue.

Par exemple, si je négocie pour faire construire une maison et que je suis insatisfait du prix qui m'est soumis par l'entrepreneur général, il sera parfois utile que j'intègre quelques sous-contractants importants dans le contexte même de la négociation.

Ceux-ci, dans leur spécialité respective, pourront suggérer certains aménagements qui permettront de réduire les coûts de leur propre soumission à l'entrepreneur général et, par le fait même, le montant de la soumission qui m'a été soumise par l'entrepreneur général.

D'autre part, dans cette même situation, le fait que l'architecte qui a conçu les plans soit intégré à la négociation pourra également permettre de faire certains réaménagements aux plans qui rendront la tâche des sous-contractants plus facile, ce qui pourra réduire d'autant le prix de la demeure.

Il peut être donc fort utile de considérer à l'avance quelles sont les parties dont la présence peut être utile pour atteindre le meilleur résultat de la négociation et faire en sorte que ceux-ci soient invités à la discussion en temps opportun.

ii) CHOIX DE L'INTERLOCUTEUR OU DES INTERLOCUTEURS

Dans sa planification de la négociation, la partie devra également définir quel sera l'interlocuteur ou quels seront les interlocuteurs qui négocieront en son nom.

Certaines questions devront être attentivement considérées lors de cette étape de la planification, dont les principales seront :

- la partie sera-t-elle personnellement présente à la table de négociation ou déléguera-t-elle une personne ou des personnes qui négocieront en son nom?
- si la partie se fait représenter par d'autres personnes, quel sera le degré d'autorité et d'autonomie accordé à celles-ci?
- le négociateur sera-t-il seul ou avec d'autres et le négociateur devra-t-il être appuyé, à l'extérieur de la table de négociation, par une personne ou des personnes (par exemple, des experts ou des conseillers techniques)?

Il n'existe aucune réponse définitive ni à l'une ni à l'autre de ces questions. Il s'agit de questions auxquelles l'on doit répondre en tenant compte des faits spécifiques à chaque situation.

Le fait par exemple que la partie elle-même (ou que la personne qui possède l'autorité de prendre la décision finale) négocie directement présente évidemment l'avantage de la rapidité et de l'obtention d'une communication directe mais elle présente par ailleurs plusieurs inconvénients, dont :

- ce que cette partie mentionnera lors de discussions sera considéré comme la liant de façon définitive alors que l'autre partie, si elle se fait représenter par un négociateur, pourra toujours revenir sur les ententes faites en son nom par le négociateur surtout si ce dernier a mentionné que toutes les ententes qu'il ferait sont sujettes à l'approbation de celui ou de ceux qu'il représente;
- le fait de procéder directement peut empêcher l'utilisation de certaines stratégies de négociation fort utiles dont la patience et le recours à l'autorité supérieure pour approuver des décisions;
- le fait de négocier directement peut également avoir pour effet de limiter la recherche d'options et d'alternatives sans contrainte puisque chaque énoncé pourra être perçu comme une position définitive ou comme l'acceptation finale d'une proposition faite.

Par ailleurs, le fait de négocier par l'intermédiaire d'une tierce personne qui n'a qu'une autorité limitée peut permettre de convaincre plus facilement l'autre négociateur d'adopter un processus de négociation qui distinguera entre les différentes étapes requises pour une négociation à dominante coopérative, soit (1) l'établissement d'un climat de confiance, (2) la recherche, par des échanges ouverts, des intérêts réels et des besoins respectifs des parties, et (3) la recherche de différentes solutions par voie d'hypothèses discutées librement, tout en retardant la phase décisionnelle au moment où toutes les possibilités auront été bien explorées.

En effet, le négociateur qui ne possède qu'une autorité limitée peut conduire avec son conégociateur toutes les étapes de ce processus, sauf la dernière, et est en mesure de convaincre plus facilement son conégociateur du fait que la meilleure façon d'en arriver à une entente est de faire ensemble toutes les étapes précédant l'étape décisionnelle, tout en établissant clairement que le négociateur n'a pas l'autorité pour prendre la décision finale.

Une fois ces étapes conclues, si les négociateurs s'entendent sur une solution globale, le négociateur pourra indiquer à son conégociateur qu'il s'engage, dans cette hypothèse, à recommander la solution de la partie qu'il représente sans pour autant s'obliger à ce que la solution soit retenue.

En procédant ainsi, la partie concernée conserve quand même une certaine discrétion pour évaluer la solution négociée et pour la rejeter si elle ne répond pas à ses attentes, ou pour demander au négociateur de l'améliorer si elle n'apparaît pas entièrement satisfaisante.

Par contre, dans le contexte d'une négociation moins importante, le recours à un négociateur peut alourdir le processus et créer des barrières à une communication saine et directe.

De la même façon, la décision d'utiliser un seul négociateur ou une équipe tiendra compte d'autres facteurs importants.

Ainsi, l'utilisation d'une équipe peut permettre de démontrer l'importance que la partie accorde à la négociation, de spécialiser les interventions de chacun lorsqu'il s'agit d'une négociation complexe et de s'assurer que toutes les compétences utiles à la compréhension de l'accord sont utilisées pour assurer la meilleure satisfaction possible des intérêts de la partie.

Par contre, il s'agit d'une procédure qui alourdit considérablement le processus de communication et qui peut avoir des effets négatifs importants si le fonctionnement de l'équipe n'a pas été bien planifié et rodé avant que ne débute la phase de discussion.

Il est donc nécessaire d'accorder l'attention requise au choix de l'interlocuteur ou des interlocuteurs qui seront impliqués dans la négociation et, s'il y a plusieurs interlocuteurs, de bien planifier leur rôle respectif et la nature des interventions qu'ils seront appelés à mener.

c) Quand?

i) LE TEMPS DE LA NÉGOCIATION

Dans presque tous les domaines d'activités, il y a des époques qui sont plus favorables à une partie ou à une autre pour négocier.

Dans le cas, par exemple, d'activités saisonnières, le début de la période de pointe est généralement favorable au vendeur puisque la demande sera élevée, alors que la fin de la période de pointe, au moment où la demande sera plus basse et où le vendeur désirera écouler ses stocks en prévision de la saison morte, sera plus favorable à l'acheteur.

Dans le contexte des relations de travail, le début d'une période de fortes activités de l'employeur sera une période généralement favorable au syndicat alors que la fin de la période de pointe sera plus favorable à l'employeur.

L'on pourrait ainsi multiplier les exemples puisqu'il n'y a que très peu de domaines d'activités où le facteur temps n'a pas quelque impact sur le niveau d'intérêt de l'une ou l'autre des parties à négocier.

Dans la mesure où le négociateur peut avoir quelque influence sur l'époque à laquelle la négociation doit être entreprise, cet élément doit être considéré dans la planification afin de pouvoir entreprendre la phase de discussion à l'époque où l'intérêt de l'autre partie à négocier peut être le plus élevé.

Aussi, l'époque à laquelle le négociateur entreprend les discussions peut être décidée en tenant compte de la date à laquelle l'entente doit être conclue. S'il s'agit d'une négociation majeure, il faudra se préparer longtemps à l'avance pour laisser à la phase de discussion une période suffisamment longue pour permettre l'analyse en profondeur de tous les éléments qui nécessitent ce travail ou, à l'inverse, de ne laisser à la phase de discussion qu'une période suffisante pour en arriver à une décision rapide, si cette dernière offre plus de probabilités de pencher en faveur du négociateur.

L'utilisation d'une époque différente a d'ailleurs été expérimentée avec succès depuis quelques années par certains locataires commerciaux majeurs.

Traditionnellement, la négociation du renouvellement du bail d'un locataire dans un espace commercial se fait environ six (6) mois avant la fin du bail en cours.

Plusieurs locataires se sont cependant aperçus que la négociation du renouvellement de leur bail aussi près de l'échéance les plaçait dans une position de faiblesse puisqu'ils devaient négocier rapidement afin de ne pas être contraints à déménager à la toute dernière minute sans planification suffisante.

Dans ce contexte, plusieurs locataires se sont retrouvés dans l'obligation d'accepter, sans véritable négociation, les conditions imposées par le bailleur n'ayant que peu ou pas d'alternative.

Face à cette situation, certains locataires importants ont entrepris, au cours des dernières années, de négocier le renouvellement de leurs baux environ deux (2) ans avant la date de fin du bail en cours et, dans toute la mesure du possible, de profiter d'une période où l'offre d'espace est plus grande que la demande pour tenter de bénéficier de taux plus avantageux.

Dans certains cas, les locataires ont raffiné cette technique jusqu'au point de saisir toute occasion où le bailleur devait leur demander quelques concessions ou autorisations (par exemple, une nouvelle décoration, une relocalisation, un réaménagement ou la permission de faire des travaux) pour profiter de la situation afin de conclure immédiatement le renouvellement de leur bail.

Il s'agit là d'une illustration fort pratique de l'importance que peut prendre l'époque à laquelle le contrat est négocié sur les probabilités de succès dans la négociation.

ii) LE DÉLAI LIMITE

Dans la planification d'une négociation, le négociateur devra discuter et planifier avec la partie qu'il représente le temps limite qui sera accordé à la négociation, c'est-à-dire autant la date ultime à laquelle l'entente devrait être conclue, ainsi que la quantité de temps qui devrait être investi dans le processus de discussion.

Une entente réaliste entre la partie et le négociateur qui la représente ainsi qu'une connaissance des conditions qui déterminent la date ultime peut être importante.

Une date ultime trop rapprochée du début des négociations peut placer le négociateur en position de faiblesse puisqu'il doit conclure l'entente rapidement alors qu'une trop grande quantité de temps investi dans une négociation peut constituer un investissement peu rentable compte tenu des bénéfices qui peuvent être retirés de l'entente.

Il s'agit donc là de barèmes qui devront être vérifiés avec soin avant même le début du processus de discussion puisqu'il sera difficile de les modifier par après.

d) Où?

Le choix du lieu de la négociation est souvent une question brûlante sur laquelle les avis sont partagés.

Certains négociateurs, même parmi les plus expérimentés, soutiennent qu'il est toujours préférable pour une partie de procéder à la négociation dans son environnement, principalement pour des raisons stratégiques de contrôle de l'espace.

Bien que ces raisons soient valables, le fait de procéder à la négociation sur son terrain entraîne cependant certaines difficultés, dont :

- il sera beaucoup plus difficile de mettre fin aux séances de discussion (ce qui implique, si vous êtes à votre propre bureau que vous deviez littéralement mettre l'autre partie à la porte);
- s'il y a quelque problème au niveau de l'organisation et de l'espace physique, cela affectera directement votre confiance et votre concentration à la négociation;
- vous serez plus facilement dérangé;
- si vos bureaux sont impressionnants, le négociateur de l'autre partie peut tenter de contrebalancer le rapport de force apparent créé par votre environnement en utilisant une argumentation encore plus agressive;
- enfin, le fait d'être dans vos propres bureaux peut vous empêcher d'utiliser cette technique de négociation qui consiste à déclarer devoir référer la décision à une autorité supérieure. Cette technique qui peut permettre d'obtenir

du temps pour mieux réfléchir à une proposition et de créer une certaine pression pour que l'autre partie fasse des concessions sans que nous nous promettions nous-même sera beaucoup plus difficilement utilisable si la personne qui doit prendre la décision se trouve dans le bureau immédiatement à côté de la salle où nous nous trouvons et que l'autre partie a pu la saluer quelques minutes auparavant.

D'autre part, la négociation conduite sur le terrain de l'autre partie peut aussi avoir un impact psychologique négatif dans certaines situations et entraîner une perte de temps et des coûts additionnels.

Enfin, à cause des coûts impliqués par les deux parties, la négociation en terrain neutre ne convient que pour les discussions extrêmement importantes et impliquant généralement plusieurs parties.

Aussi, je crois qu'il n'existe aucune règle absolue quant au choix du lieu de la négociation et que le négociateur doit juger chaque cas à son mérite.

Le meilleur moment pour se pencher adéquatement sur cette question est lors de la phase de planification.

Ainsi, si l'on entrevoit plusieurs rencontres, nous pourrons faire en sorte que les quelques premières rencontres (dont l'impact sur la négociation peut ultimement être moindre) aient lieu sur le terrain de l'autre partie pour subséquemment demander que les dernières rencontres soient tenues sur notre terrain, ayant nous-mêmes préalablement consenti à ce que les premières rencontres aient lieu sur le terrain de l'autre.

Par ailleurs, il est possible de faire du lieu de la rencontre un sujet de discussion afin, ultimement, de concéder ce point en échange d'un point qui nous procure un bénéfice réel.

Il s'agit donc là d'une matière à laquelle il convient de réfléchir adéquatement avant d'entrer en communication avec l'autre partie.

e) Comment?

i) AGENDA

Le négociateur préparera également l'agenda de la négociation, c'est-à-dire la liste des points devant être discutés, lesquels seront disposés en fonction de l'approche que le négociateur aura choisie.

Ainsi, dans certains cas, il sera préférable de placer les points les plus importants au début de l'agenda afin de conclure la discussion sur le cadre général de l'entente avant d'en arriver à des points particuliers secondaires alors que, dans d'autres situations, il sera plutôt préférable de s'attaquer d'abord sur certains éléments moins importants afin d'établir un momentum favorable à un accord pour retarder la discussion des points les plus controversés à la fin du processus de discussion.

L'agenda est donc appelé à jouer un rôle important dans le rythme de la négociation et le négociateur consciencieux apportera donc une attention particulière à la préparation de cet agenda avant même le début des rencontres afin d'être en mesure de proposer un agenda et d'en discuter dès le début de la communication avec l'autre partie ou son négociateur.

L'agenda est d'ailleurs lui-même, dans plusieurs négociations majeures, un élément même de la négociation.

Ainsi, certaines études ont déjà démontré que les chances de succès d'une négociation étaient directement proportionnelles au temps initialement consacré à bien définir le cadre du processus de négociation avant d'entamer la discussion des éléments de fond.

D'autres études ont confirmé cette hypothèse en déterminant que les négociateurs chevronnés qui enregistraient souvent des succès dans leurs négociations consacraient effectivement une plus grande proportion de leur temps à définir les paramètres du processus de négociation que ceux qui connaissaient moins le succès ou qui étaient moins expérimentés.

L'un des auteurs américains dans le domaine de la négociation, Gérald Nierenberg, propose d'ailleurs que le négociateur prépare deux agendas, l'un apparent, qui est immédiatement transmis à l'autre partie et un autre, caché celui-là, qui constitue l'agenda réel que désire vraiment utiliser le négociateur et qui devient l'objectif du négociateur une fois que la négociation de l'agenda aura été complétée, en tenant compte du fait que l'autre partie n'acceptera vraisemblablement d'emblée l'agenda apparent initialement transmis.

Il existe différentes techniques quant à la façon d'aborder le sujet de l'agenda mais, fondamentalement, le négociateur doit le considérer comme un élément important auquel il convient d'accorder l'attention requise.

ii) OFFRES ET DEMANDES INITIALES

Même dans la négociation à dominante coopérative, il arrive un temps où un négociateur doit formuler ses propositions initiales, lesquelles prendront la forme d'offres, de demandes ou de solutions proposées à divergence.

Il sera donc important que le négociateur se soit préparé et ait planifié ses propositions initiales en tenant compte des différents facteurs que nous avons vus au chapitre 2 ainsi qu'au chapitre 3.

Plus particulièrement, il serait important que ces demandes laissent au négociateur une marge de manoeuvre à l'intérieur de laquelle il pourra réussir à satisfaire les intérêts de la partie qu'il représente tout en se montrant coopératif avec l'autre partie et avec les solutions proposées par elle.

iii) LES QUESTIONS

Nous verrons, au chapitre 10 ci-après, les différents rôles importants que jouent les questions à l'intérieur du processus de communication entre négociateurs.

Cependant, durant le processus de communication, il est également important que le négociateur maintienne une attitude d'écoute active, c'est-à-dire qu'il se concentre bien sur la communication, qu'il se concentre sur la communication qu'il reçoit de l'autre partie et qu'il s'attarde à bien la saisir et à la comprendre.

Pour ce faire, l'attention du négociateur, durant la phase de communication, devra donc se porter sur la communication elle- même et, notamment, sur la bonne compréhension des attentes formulées par l'autre partie, les intérêts de l'autre partie ainsi que dans la recherche d'une solution commune qui tienne compte des attentes de chacune des parties.

Or, il est difficile de maintenir une écoute active tout en tentant, au même moment, de préparer des questions dont la qualité pourra aussi jouer un rôle important dans l'allure que prendra la communication entre les négociateurs.

En ce sens, il est important que le négociateur prépare les principales questions qu'il voudra poser à l'autre partie durant la phase de planification de façon à pouvoir être en mesure de les utiliser le cas échéant et de ne pas avoir à investir dans la préparation improvisée de questions du temps qui serait probablement mieux utilisé à bien écouter les éléments qui lui sont apportés par l'autre négociateur.

Les questions seront donc préparées dans la phase de planification.

iv) MÉTHODES ET STRATÉGIES

Les différentes méthodes et stratégies qui seront utilisées dans le cadre d'une négociation devront également être planifiées.

L'utilisation de mécanismes de communication coopératifs n'exclut d'ailleurs pas une certaine stratégie, c'est-à-dire l'établissement d'une démarche-type qui vise, de façon planifiée, à atteindre un but donné.

Les méthodes et stratégies qui seront planifiées ne sont pas, en elles-mêmes, les tactiques que l'on retrouve souvent dans des livres sur la négociation. L'utilisation de tactiques, bien qu'efficace dans certaines situations, n'est pas en soi un outil valable pour un négociateur.

Trop souvent, les négociateurs attachent trop d'importance aux tactiques sans se préoccuper suffisamment de certains problèmes de fond qui m'apparaissent plus importants comme, par exemple, le choix des moyens de communication.

Aussi, le choix des moyens de communication, la façon d'aborder d'autres parties, la façon dont seront présentés les différentes propositions et les autres éléments d'une stratégie bien orchestrée devront être planifiés dès cette étape. L'utilisation de tactiques pourra être considérée à l'intérieur des stratégies mais, lorsqu'elles sont utilisées, les tactiques s'inséreront dans le cadre d'une stratégie qui vise à atteindre un but déterminé et les tactiques ne seront pas utilisées tout simplement dans le but d'obtenir, à la pièce, des gains sur l'autre négociateur.

2. La préparation

La planification d'une négociation consiste en l'établissement d'un plan de travail qui sera suivi tout au long de la négociation, en n'oubliant cependant pas d'y faire les adaptations requises lorsque des éléments nouveaux viennent affecter les données initiales.

En contrepartie, la préparation consiste à réaliser la première partie du plan de travail en dotant le négociateur des outils et des connaissances qui pourront raffermir sa position et qui constitueront pour lui des outils additionnels dans l'élaboration de sa planification afin d'atteindre les objectifs fixés par cette planification.

De façon pratique, cependant, la phase de préparation se déroule de façon relativement simultanée avec la phase de planification. En effet, certains éléments recueillis au niveau de la préparation pourront servir à améliorer la planification alors que les différents éléments soulevés dans la phase de la planification pourront nécessiter d'être préparés avant que commence la communication proprement dite.

Les éléments qui nécessiteront généralement une préparation préalable à la communication sont les suivants :

a) La recherche de faits pertinents et leur justification

Si les différentes propositions ou solutions qui seront avancées par le négociateur s'appuient sur des faits, il sera nécessaire que le négociateur procède, préalablement à la communication, à une recherche pour démontrer les faits qu'il soulèvera afin de ne pas être pris inutilement au dépourvu si un fait avancé par lui s'avère subséquemment inexact.

Il sera donc nécessaire que le négociateur recherche les faits pertinents à la négociation et qu'il obtienne les éléments qui lui permettront de démontrer ces faits durant la phase de négociation.

Ainsi, si un acheteur désire modifier une entente avec un fournisseur afin d'obtenir le resserrement du contrôle de la qualité des biens qui lui sont vendus par le fournisseur, le négociateur aura tout intérêt à obtenir une liste complète et factuelle des défauts qui ont été relevés ainsi que des données globales permettant d'appuyer sa position (nombre de défauts par produit acquis, importance des défauts, coûts engendrés par les défauts, difficultés de retour, difficultés avec les clients, etc.).

L'obtention de ces faits permettra au négociateur d'arriver avec des données plus précises et plus complètes et d'être en mesure d'accroître le niveau de confiance de l'autre partie dans les énoncés que le négociateur fera puisque le négociateur prendra soin de démontrer ses données au fur et à mesure qu'il les avancera.

Une préparation efficace au niveau de l'obtention des renseignements pertinents et de ce qui les justifie peut constituer une arme fort importante dans la quasi-totalité des négociations.

b) Renseignements sur l'autre partie

Avant même d'entreprendre le processus de négociation, il est souvent fort utile d'obtenir des renseignements sur l'autre partie.

Ces renseignements pourront prendre la forme de renseignements sur la partie elle-même (les expériences antérieures, sa façon de négocier, ses besoins, ses préoccupations, sa situation commerciale, sa situation financière, ses litiges, etc.) que sur le négociateur ou les négociateurs qui la représentent (rôle dans l'organisation, pouvoir décisionnel, besoins personnels, méthodes de négociation, expériences antérieures, contacts, etc.).

Aussi, comme nous l'avons vu au chapitre 4, il pourra souvent être utile d'obtenir des données complètes sur la meilleure alternative à la solution négociée de l'autre partie.

Cette préparation pourra permettre au négociateur d'échafauder des hypothèses quant aux éléments de la négociation que l'autre partie voudra apporter, sur l'attitude qu'elle prendra, sur ses positions ainsi que sur son intérêt à négocier.

Comme plusieurs négociateurs ont aussi tendance à réutiliser, négociation après négociation, les mêmes stratégies et tactiques, le fait d'obtenir certains renseignements sur la partie et sur le négociateur qui la représentera dans la négociation envisagée pourra permettre de mieux préparer des outils qui pourront être importants dans la négociation et de compléter une préparation plus poussée sur les points qui risquent fort d'être apportés par l'autre partie à la table de négociation.

D'ailleurs, cette recherche pourra permettre de revérifier la planification faite surtout au niveau du choix du négociateur, de la décision de savoir si le négociateur sera seul ou avec d'autres, sur l'implication de la partie concernée elle-même dans la négociation ainsi que sur le choix des stratégies qui seront utilisées.

c) Influences externes

Un autre élément de la préparation consistera à examiner quelles sont les influences externes qui peuvent jouer en faveur ou à l'encontre de la position du négociateur au cours des discussions.

Selon la nature de la divergence ou de la difficulté qui doit être négociée, ces influences pourront être multiples.

Dans certains cas (notamment dans le domaine des relations de travail), l'influence des médias peut être majeure alors que dans d'autres situations, ce seront des influences internes chez l'une ou l'autre des parties (par exemple, le président de la compagnie, un chef de département, un chercheur, le syndicat, etc.) ou externes à l'entreprise (par exemple, des sous-contractants, des consultants, des clients, des fournisseurs, etc.) qui seront appelés à jouer un rôle dans l'issue des discussions.

Le fait de bien identifier quelles peuvent être ces influences avant le début de la négociation peut aussi permettre de préparer des plans ou des programmes pour s'assurer que ces influences joueront en faveur du négociateur, et non contre lui, ou de canaliser des influences négatives potentielles pour le cas où celles-ci tenteraient d'intervenir dans le processus décisionnel.

Selon la situation, cette étape de la préparation pourra inclure une communication ou des communications avec les influences externes afin de mieux leur faire comprendre la position de la partie et les intérêts en jeu, la mise en place d'un programme de communication ou de relations publiques, certaines interventions directes ou indirectes auprès des influences identifiées, la mise en place d'alternatives qui permettra de poursuivre les discussions de façon positive même en cas d'intervention de certaines influences, etc.

Il ne faut jamais sous-estimer le rôle que peuvent avoir certaines personnes externes dans le processus décisionnel de l'une ou l'autre des parties en cours de négociation ni restreindre les possibilités à cet égard.

Ainsi, le fait de rechercher seulement des influences externes à l'entreprise peut masquer la réalité qui fera en sorte que l'influence majeure viendra de l'intérieur de l'entreprise et vice versa. Il faudra donc faire bien attention d'identifier toutes les influences qui peuvent jouer un rôle dans la négociation notamment à cause d'un intérêt indirect qu'elles peuvent avoir dans le résultat de celle-ci.

d) Consolider les alternatives

Nous avons vu, autant au chapitre 4 qu'à l'égard de la planification, qu'il était important de bien définir ses alternatives à la solution négociée et, tout particulièrement, sa meilleure alternative à la solution négociée.

Durant la phase de préparation, il faudra cependant s'assurer que cette alternative est bien disponible et, dans plusieurs cas, poser certains gestes pour faire en sorte que l'alternative demeure disponible tout au long de la négociation ou, alternativement, que le négociateur soit informé immédiatement si cette meilleure alternative cesse d'être disponible ou si son intérêt se modifie de façon positive ou négative.

Par exemple, dans le cadre d'une négociation d'achat de fourniture, l'acheteur pourra faire en sorte de mener de front deux négociations distinctes avec ses deux meilleures alternatives de façon à toujours pouvoir comparer l'une avec l'autre et ne pas se fermer les portes trop rapidement avant le stade final de l'une ou l'autre des négociations.

Dans d'autres situations, cela voudra tout simplement dire que l'on avisera la meilleure alternative du fait qu'une négociation peut être prochainement entreprise avec elle et, par la suite, de maintenir une communication régulière avec cette meilleure alternative afin de soutenir son intérêt.

e) Modifier la perception de l'autre partie de sa meilleure alternative

Une autre étape de la préparation peut consister, une fois que la meilleure alternative à la solution négociée de l'autre partie a aussi été identifiée, à modifier cette alternative ou, à tout le moins, la perception que l'autre partie peut avoir de son intérêt face à cette alternative.

Ainsi, si je suis le vendeur d'un ordinateur sophistiqué et que je sais, avant de vous rencontrer pour compléter une vente, que vous envisagez aussi l'achat d'un appareil semblable au mien d'un compétiteur (lequel constitue vraisemblablement votre meilleure alternative à la solution que je vous propose et que je désire négocier avec vous), je pourrai recueillir un certain nombre de données concernant vos besoins précis ainsi que certains faits démontrant que l'appareil de mon compétiteur y répond beaucoup moins bien que celui que je vous propose.

La technique, fort connue dans le domaine de la vente, qui repose sur une bonne connaissance des compétiteurs et de leurs produits et sur une recherche adéquate des besoins des clients, équivaut à rechercher des moyens de diminuer la valeur des alternatives des clients et, en particulier, de leur meilleure alternative à la solution négociée, telle que ceux-ci peuvent la percevoir.

Cette technique peut être aussi utilisée avec succès dans beaucoup d'autres contextes que celui de la vente.

Ainsi, si je désire m'associer avec vous dans un projet et que vous envisagez de compléter ce même projet seul ou avec une autre personne, je pourrai, après une recherche adéquate des faits pertinents, vous soumettre certains éléments qui tenteront de démontrer que les solutions alternatives que vous envisagez sont moins avantageuses que vous pouvez le croire à première vue.

Une illustration extrême, et illégale d'ailleurs, d'une technique qui vise à réduire la meilleure alternative à la solution négociée de l'autre partie, a été utilisée à plusieurs reprises dans le passé en matière de soumission en réponse à des appels d'offres.

Selon cette technique, les principales entreprises compétitrices devant soumissionner s'accordaient à l'avance sur celle d'entre elles qui fournirait la soumission la plus basse en faisant en sorte que les autres entreprises concernées soumissionnent à un prix plus élevé pour que le contrat soit accordé à celle choisie entre elles.

Par un système de rotation, cette procédure visait à ce que les contrats soient accordés à chacune des parties à l'entente et, comme les prix étaient connus d'avance entre les compétiteurs, celui qui désirait obtenir le contrat pouvait soumissionner un prix nettement supérieur à celui qu'il aurait soumis dans un contexte de libre concurrence.

Il y avait donc un bénéfice commun pour tous les soumissionnaires, ceux-ci s'assurant d'obtenir à tour de rôle des contrats octroyés et étant aussi assurés que le bénéfice par contrat serait nettement supérieur compte tenu du fait qu'ils n'auraient pas vraiment à soumissionner au plus bas prix possible, connaissant à l'avance le prix auquel les compétiteurs soumissionneraient.

Comme je l'ai mentionné plus tôt, cette technique constitue une infraction criminelle prévue à la Loi sur la concurrence et est donc illégale. Elle est tout simplement mentionnée à titre d'illustration d'une technique qui vise à réduire la meilleure alternative de l'autre partie.

Dans presque tous les types de situations, il est possible d'envisager des moyens parfaitement légaux pour soit réduire ou écarter les alternatives ouvertes à l'autre partie soit, encore plus souvent, pour pouvoir démontrer à l'autre partie des faits qui diminuent à ses yeux la valeur de ses alternatives.

f) La documentation

L'un des éléments importants de toute préparation, autant avant que pendant la phase de discussion et jusqu'à ce que l'accord final soit signé, est le maintien d'une documentation complète, organisée et précise.

Au niveau de la phase préalable à la communication, la documentation contiendra tous les éléments de la planification ainsi que tous les éléments recueillis lors de la préparation avec, lorsque cela apparaît utile, les preuves appuyant les éléments qui seront apportés en cours de communication.

Un dossier bien organisé à cet égard permettra au négociateur de profiter pleinement du travail préparatoire à la phase de communication et d'être prêt à tirer son épingle du jeu lors des échanges.

Par ailleurs, durant la phase de communication, le maintien de notes complètes prises au moment même de chaque communication et identifiant, dans chaque cas, la date, la nature, les personnes présentes lors de communications ainsi que les personnes qui ont traité des différents sujets, peut devenir un outil extrêmement efficace par la suite lorsqu'il s'agira de faire des retours en arrière sur des éléments déjà discutés.

En effet, il sera beaucoup plus difficile de contredire des énoncés antérieurs si le négociateur possède des notes précises sur la façon dont ces énoncés ont été faits, par qui et à quelle occasion, si toutes les parties ne fonctionnent qu'à partir de leur souvenir respectif vague d'un élément parmi plusieurs.

Aussi, le maintien d'une documentation complète et bien organisée comprenant des copies de tous les échanges écrits, de tous les documents fournis ainsi que des notes complètes de tous les échanges verbaux ainsi qu'une mise à jour régulière des éléments recueillis lors de la préparation et de la planification, peut devenir un outil fort efficace et important dans le cours de la négociation surtout s'il s'agit d'une négociation importante.

Au niveau des notes prises lors de rencontres, l'avantage de maintenir ces notes peut également être accru si l'on prend soin, par la suite, de faire dactylographier celles-ci et d'en adresser une copie à l'autre partie. Lorsque cette procédure est utilisée, il sera encore beaucoup plus difficile à l'autre partie de revenir sur des points antérieurement discutés ou convenus si elle ne réagit pas immédiatement sur réception de ces notes.

De plus, l'autre partie aura rapidement tendance à prendre elle-même appui sur les notes rédigées par le négociateur vu la volonté de celui-ci d'accomplir volontairement ce travail fort fastidieux de maintien et de dactylographie des notes de rencontres.

En dernier lieu, au chapitre de la documentation, mentionnons qu'un avantage important peut être acquis en se portant volontaire pour rédiger les textes d'accord qui font suite à la négociation lorsque l'entente doit être écrite.

En effet, la façon dont sont rédigés les textes, l'ordre dans lequel sont présentés les différents éléments de l'entente et certains éléments mineurs qui n'ont souvent pas fait l'objet de la négociation mais qui doivent faire partie de l'entente écrite sont ainsi laissés à la discrétion, en quelque sorte, de celui qui rédige l'accord.

Évidemment, l'autre partie pourra demander des modifications au document rédigé, mais, essentiellement, le document rédigé demeurera très souvent le squelette principal de l'entente à partir duquel le travail subséquent jusqu'à la signature se rattachera.

Je considère donc qu'il y a un avantage majeur, même si cela nécessite évidemment du travail additionnel, à se porter volontaire pour la rédaction des textes de l'entente. Il sera d'ailleurs beaucoup plus facile de ce faire si, tout au long de la négociation, le négociateur a tenu des notes écrites et s'il en a transmises des procès-verbaux à l'autre partie.

3. L'importance du travail préparatoire

En conclusion au présent chapitre, il m'apparaît important de souligner que la négociation n'est pas une joute oratoire au cours de laquelle une partie vainc l'autre par la seule force de ses arguments et par sa capacité à provoquer les échanges verbaux importants au cours desquels elle soumettra l'autre par ses seules qualités oratoires.

En fait, lorsque nous grattons un peu la surface, nous nous apercevons que la négociation consiste beaucoup plus en un travail minutieux qui commence longtemps avant que le premier appel téléphonique ne se fasse et qui se poursuit, derrière la scène que représente la table de négociation proprement dite, tout au long du processus de communication jusqu'à ce que l'entente finale soit conclue.

La négociation ressemble donc quelque peu, à cet égard, à la production d'un film.

Les spectateurs ne voient que le produit fini où apparaissent les décors et les acteurs mais, pris dans un ensemble global, la partie visible lors de la présentation du film ne constitue qu'un tout petit élément de l'ensemble énorme (autant en termes d'investissement financier, humain et matériel) que représente la production du film.

En fait, les 15 ou 20 acteurs ne constituent qu'une petite partie d'une équipe qui peut facilement comprendre plus d'une centaine de personnes, la partie visible du décor ne représente qu'une partie infime d'un ensemble de matériaux, d'équipement de soutien et d'outillage non apparents et la pellicule finale n'est qu'une toute petite partie des kilomètres de films qui ont été tournés avant que le choix final des images qui apparaîtront à l'écran n'ait fait suite, d'ailleurs, à un travail post-tournage fort important.

Également, le film qui paraît à l'écran ne montre pas non plus cette formidable machine de publicité, de relations publiques, de marketing et de distribution que représente la mise sur le marché du film.

Aussi, le négociateur qui ne craindra pas la quantité de travail qui peut être requise pour mener à bien une négociation et qui aura bien pris soin de planifier et de préparer son travail et de poursuivre la mise à jour continuelle de cette planification et de cette préparation jusqu'à ce que l'entente finale soit signée bénéficiera-t-il d'outils extrêmement puissants qui lui procureront un avantage substantiel sur son conégociateur, lesquels dépasseront souvent de beaucoup les avantages obtenus par les seules qualités oratoires qui peuvent être beaucoup plus apparentes que réelles.

La négociation n'est pas un domaine où il est facile de progresser avec peu de travail mais a tendance à devenir de plus en plus, surtout dans le cas des négociations importantes, une profession dont au moins 80 p. cent des activités se déroulent derrière la scène et au plus 20 p. cent des activités sont apparentes à l'autre partie et aux spectateurs.

CHAPITRE 8

LE RAPPORT DE FORCE: UN PHÉNOMÈNE DE CROYANCE

Le résultat d'une négociation ne dépend-il pas exclusivement d'un seul facteur, à savoir le rapport de force respectif entre chacune des parties en cause?

Dans un contexte où le rapport de force est nettement déséquilibré en faveur d'une partie ou de l'autre, est-il vraiment utile de se livrer à tout ce travail de préparation et de planification de la négociation? Les dés ne sont-ils pas jetés d'avance?

Au cours du présent chapitre, je verrai avec vous les principaux éléments de ce qui constitue un rapport de force pour ensuite discuter de certaines méthodes pour y faire face, surtout lorsque le rapport de force apparaît être à notre détriment.

Nous verrons tout d'abord quelles sont les sources de la force que peut posséder l'une ou l'autre partie, quel est l'impact de cette force dans la négociation et quels sont les moyens d'en tirer partie à notre avantage.

Bien que je crois que le rapport de force soit, dans la plupart des cas, principalement un phénomène de croyance et un phénomène purement psychologique qu'il ne s'agit souvent que de confronter, il faut quand même considérer la force respective des parties en cause préalablement à la phase de communication.

En effet, il existe un grand nombre de notions rattachées au rapport de force.

De façon habituelle, nous reconnaissons généralement plus facilement les éléments un rapport de force que nous pouvons qualifier d'externes, c'est-à-dire ces éléments qui résultent de facteurs extérieurs (réels ou apparents) à la négociation proprement dite.

Nous verrons cependant ci-après qu'il existe une autre source fort importante de la force que peut posséder un négociateur, laquelle est constituée de ce que nous qualifierons de rapport de force interne, c'est-à-dire d'un rapport de force qui tienne compte d'éléments reliés directement à la négociation.

Cette dernière catégorie est trop souvent ignorée et constitue parfois, pour un négociateur chevronné qui a su bien se préparer, un facteur prépondérant autant pour contrebalancer l'existence d'un rapport de force externe que pour permettre d'en arriver à une solution négociée équitable.

Nous verrons donc ci-après tout d'abord les éléments du rapport de force externe puis ceux qui concernent le rapport de force interne.

1. Les sources du rapport de force externe

Les sources qui peuvent permettre à une partie de bénéficier d'un certain avantage sur l'autre partie au niveau du rapport de force externe se situent généralement dans l'une ou l'autre des catégories suivantes :

a) Première catégorie : l'autorité légitime

L'autorité légitime dépendra essentiellement du statut que possède la personne qui négocie dans son organisation.

Ainsi, si le négociateur est un jeune vendeur d'une petite entreprise qui doit faire face, dans le cadre d'une négociation, au vice-président senior d'une très grande entreprise, le vendeur junior pourra effectivement sentir que le rapport de force favorise grandement le protagoniste, à cause de la seule différence entre leur statut respectif tel qu'il leur a été conféré par leur poste et leur titre dans leur organisation respective.

Il s'agit donc là d'un type de force qui résulte essentiellement d'un statut reconnu et qui est également exclusivement de nature psychologique. En effet, ce type de rapport de force n'aura aucun effet si le vendeur junior ne connaît pas le poste occupé par son protagoniste ni la dimension de l'entreprise de ce dernier.

La valeur de ce rapport de force dans une négociation peut également dépendre de facteurs culturels ainsi que de la nature et de l'importance de la négociation.

Ainsi, dans cet exemple, l'importance du rapport de force qui découlerait de l'autorité légitime du vice-président senior de la grande entreprise sera extrêmement différente s'il s'agit de négocier un contrat majeur plutôt que de tout simplement s'entendre sur une commande de quelques centaines de dollars.

À l'extrême, ce rapport de force pourra même jouer à l'encontre du négociateur senior.

Ainsi, si le contrat à négocier est celui de l'achat de quelques pièces mineures de petite valeur, le jeune vendeur pourra possiblement obtenir de façon rapide la signature du vice-président senior en misant sur le fait que, pour ce dernier, l'enjeu en cause est tellement mineur qu'il ne devrait pas y consacrer beaucoup de temps. En fait, le vendeur junior pourra tenter de convaincre le vice-président senior que l'enjeu a tellement peu d'importance que le vice-président senior devrait tout simplement accepter l'offre du vendeur.

b) Deuxième catégorie : le pouvoir de punir et de récompenser

La deuxième source de pouvoir externe à considérer sérieusement dans une négociation est celle qui résulte de la possibilité pour l'un des protagonistes de récompenser ou de punir l'autre.

Cette source de pouvoir est omniprésente lors d'une négociation entre un employé et son patron.

En effet, le patron possède le pouvoir de récompenser l'employé de différentes façons (par des augmentations, des bonis, des congés, des promotions, des défis, etc.) ainsi que de le punir (en le congédiant, en lui refusant une augmentation ou une promotion, en le confinant à des fonctions secondaires, etc.).

Ce pouvoir du patron sur l'employé est un élément important qui pourra jouer un rôle majeur sur la nature des demandes que pourra présenter l'employé, notamment en matière de conditions de travail, et sur le processus de communication qui s'ensuivra, surtout si le patron a déjà utilisé ce pouvoir contre son employé.

c) Troisième catégorie : l'apparence d'autorité

Une autre catégorie de pouvoir plus difficile à cerner est celle qui résulte des apparences reliées à l'un ou l'autre des protagonistes.

Imaginons l'exemple suivant.

Votre enfant vous informe qu'un autre enfant du voisinage a brisé volontairement sa bicyclette. Effectivement, vous constatez que la roue avant de la bicyclette de votre enfant est brisée et vous devez donc la faire remplacer.

Une fois cette réparation faite, vous décidez de communiquer avec les parents de l'enfant responsable de cet incident afin de les rencontrer et de recouvrer de ceux-ci le montant déboursé pour la réparation de la bicyclette de votre fils. Suite à votre appel, le père de l'enfant responsable de l'incident vous demande de passer chez lui afin de régler ce différend en soulignant cependant que, selon ce que son enfant lui a mentionné, votre fils aurait provoqué l'incident en injuriant le sien.

Après votre travail, vous vous rendez donc chez cette personne en étant déterminé d'obtenir le remboursement de vos frais de réparation de 12 $. Rendu à proximité de l'adresse donnée, vous réalisez qu'il s'agit d'une résidence majestueuse située au bout d'une rue privée où, près de l'entrée, se trouvent 3 Mercedès de modèle récent en plus d'une Rolls Royce. Vous sonnez à la porte et un valet vous ouvre en vous demandant d'attendre l'arrivée de votre hôte dans la bibliothèque.

Pour la plupart d'entre nous, il est évident qu'un tel environnement pourra avoir un effet important sur la façon dont nous aborderons ce problème avec les parents concernés.

Nos gestes, notre approche et notre façon d'aborder la solution au problème seront sans aucun doute fort différents de ceux que nous aurions utilisés si nous avions rencontré une personne plus jeune que nous, de moyens limités et dans un environnement plus modeste que le nôtre.

Ce type de force dégagé par l'environnement d'une personne entre dans la catégorie des pures apparences puisque, de fait, il n'existe aucune raison pour laquelle notre négociation devrait être affectée par ce qui est, somme toute, qu'apparence.

En effet, le parent en question peut être temporairement installé dans cette maison, peut en être un simple employé (par exemple un gardien ou un chauffeur), peut y séjourner pour quelques jours, en attendant que des travaux à sa propre maison soient complétés. Les voitures à la porte peuvent être des voitures laissées tout simplement là par des amis pendant leurs vacances ou par des visiteurs.

Ce type de rapport de force est d'ailleurs très souvent utilisé par les fraudeurs.

En effet, la meilleure façon d'obtenir d'employés d'institutions bancaires ou de magasins des avantages ou un relâchement dans le processus de vérification, ou d'éviter des questions gênantes, est souvent de se présenter dans des apparats (vêtements, coiffure, bijoux, accessoires, voitures, etc.) qui impressionnent.

L'employé ou la personne visée par ce comportement pourra être beaucoup plus craintif à compléter des vérifications, à poser des questions ou à appliquer de façon stricte certaines règles si elle croit faire affaires avec un personnage possédant des moyens financiers importants ou faisant partie de la grande bourgeoisie.

d) *Quatrième catégorie : l'expertise et la réputation*

Un autre élément du rapport de force entre les parties peut être le degré d'expertise de l'un ou l'autre des négociateurs ainsi que sa réputation.

Mettez-vous à la place d'un jeune avocat débutant sa carrière dans un petit village qui soudainement doit négocier une affaire très importante avec un avocat hautement spécialisé d'un grand cabinet dont la compétence est reconnue à travers l'Amérique du Nord. Pourriez-vous alors éviter de ressentir une certaine pression qui résultera de l'expertise et de la réputation de ce négociateur.

Il s'agit là d'un élément à considérer lors de l'évaluation de tout rapport de force et vous pourriez décider, dans cet exemple, de contrebalancer cette pression en faisant appel, de votre côté, à un avocat conseil possédant également une grande expertise et une réputation dans ce domaine d'activités.

e) Cinquième catégorie : la force conjoncturelle

Le rapport de force basé sur des circonstances conjoncturelles représente vraisemblablement la catégorie la plus fréquemment rencontrée lors de négociations.

La force conjoncturelle est celle qui découle d'une conjoncture de fait qui, au moment de la négociation, favorise l'une des parties.

L'utilisation de la force conjoncturelle est relativement fréquente dans certaines catégories de négociations telles, par exemple, les négociations en matière de relations de travail.

Par exemple, un syndicat pourra faire en sorte d'organiser les échéances de ses différentes conventions collectives afin qu'elles se produisent à des moments où les conséquences d'une grève peuvent être plus dommageables pour l'entreprise visée.

Ainsi, dans une entreprise de commerce de détail qui réalise la majeure partie de ses ventes dans les semaines précédant la période des Fêtes, le syndicat pourra être tenté de fixer l'échéance de la convention collective et la phase critique de la négociation immédiatement avant cette période, de façon que la menace d'une grève puisse avoir un effet plus important sur la négociation et puisse également constituer, en quelque sorte, une date limite qui s'impose d'elle-même pour la conclusion d'une entente.

La force conjoncturelle est donc basée sur une évaluation des alternatives et des conséquences de la négociation pour l'autre partie, de façon que la solution négociée soit toujours préférable, même si elle implique des concessions majeures, à toute autre solution.

En fait, en analysant un peu ce qu'est la force conjoncturelle, nous constatons qu'il s'agit effectivement d'une situation où la négociation a lieu au moment où la meilleure alternative à la solution négociée de l'une des parties est à son point le plus haut ou au moment où la meilleure alternative à la solution négociée de l'autre partie est à son point le plus bas. Nous voyons donc qu'il s'agit là d'une force qui se rattache essentiellement à la situation de la meilleure alternative à la solution négociée de l'une ou l'autre des parties.

Cependant, celui qui recourt à outrance à la force conjoncturelle court un risque important. En effet, par définition, la conjoncture évolue.

Prenons l'exemple suivant.

À une certaine époque, un acheteur a absolument besoin du produit offert par le vendeur pour réaliser un contrat important avec l'un de ses clients; le vendeur connaît la situation. Le vendeur pourra, dans ce cas, utiliser cette conjoncture favorable pour imposer un prix et des conditions de vente qui lui permettront d'obtenir un profit plus important que celui qu'il obtient généralement dans les cas où cette conjoncture n'existe pas.

Par ailleurs si, dans cette même hypothèse, quelques mois plus tard, un nouveau compétiteur vient offrir sur le marché un produit concurrentiel à celui offert par le vendeur, la conjoncture pourra alors se trouver grandement modifiée et l'acheteur, à son tour, pourra profiter de cette nouvelle conjoncture pour requérir des soumissions des deux entreprises compétitrices et négocier avec celle offrant la meilleure soumission pour l'acheteur, ce qui peut placer le vendeur dans une situation beaucoup plus difficile.

Cependant si, dans les mêmes circonstances, au moment où la conjoncture lui était favorable, le vendeur n'a pas abusé de la force particulière que lui conférait cette conjoncture et a pris soin de conclure quand même avec l'acheteur une entente raisonnable, il pourra beaucoup plus facilement convaincre l'acheteur de continuer à faire affaires avec lui lorsque la conjoncture sera devenue plus favorable pour l'acheteur, en invoquant notamment le fait que le vendeur n'a pas tenté de tirer indûment profit de la situation alors que la conjoncture lui était plus favorable.

Dans ce cas-ci, ainsi que dans plusieurs situations qui impliquent des échanges réguliers sur une base continue, la pratique de la négociation démontre que le profit à long terme qui peut être retiré de transactions raisonnables pour les deux parties est beaucoup plus grand que celui qui peut découler d'une tentative par l'une des parties de tirer indûment avantage d'une conjoncture qui lui est favorable au détriment de l'autre partie.

D'ailleurs, sur le plan de la force conjoncturelle, le négociateur doit aussi faire attention à un phénomène psychologique qui porte très souvent le protagoniste à sous-estimer sa position à l'intérieur d'un rapport de force conjoncturel.

En effet, souvent, de part et d'autre, l'on constate que, préalablement à la négociation, les négociateurs sous-estiment leur propre force et surestiment celle de l'autre.

Il faudra donc que le négociateur fasse en sorte de bien pondérer les différents éléments en jeu afin de pouvoir évaluer le rapport de force conjoncturel qui peut exister sur des bases concrètes et réalistes et non pas sur une seule appréciation subjective qui, plus souvent qu'autrement, est plus négative que positive.

Le travail de préparation que nous avons vu au chapitre précédent peut constituer un outil fort important à cet égard.

f) Sixième catégorie : les valeurs

Bien qu'il soit difficile à discerner à première vue lorsqu'on le rencontre, le rapport de force basé sur les valeurs de l'une des parties n'est pas non plus à négliger.

Ainsi, dans certaines situations, une partie à une négociation peut avoir, au cours d'une longue période, manifesté de façon constante un certain nombre de valeurs qui apparaissent fondamentales pour elle.

Lorsque de telles valeurs ont été exprimées de façon constante pendant une certaine période de temps, elles deviennent souvent acquises pour l'autre partie qui, en acceptant de négocier avec celle ayant exprimé ces valeurs, accepte implicitement que l'accord à négocier devra en tenir compte.

Dans le domaine juridique, par exemple, une entreprise reconnue pendant longtemps comme exigeant qu'un avocat choisi par elle s'occupe lui-même de tous les dossiers de l'entreprise pourra imposer cette façon de procéder des différentes études légales avec lesquelles elle agit, alors qu'une autre entreprise de même dimension qui n'a pas manifesté cette valeur dans le passé pourra se voir fréquemment confrontée à une répartition de son travail par ses études légales entre plusieurs avocats, suivant leur spécialité respective.

Ce type de rapport de force peut d'ailleurs être utilisé avec grand avantage par le négociateur chevronné.

En effet, si ce dernier réussit à démontrer l'utilisation constante de certaines valeurs de base qui peuvent être très positives telles que, par exemple, la coopération, la confiance, l'honnêteté et la franchise, il pourra souvent obtenir plus facilement l'adhésion de l'autre négociateur aux mêmes valeurs et créer ainsi plus rapidement un climat de confiance établi sur la base de la connaissance par l'autre négociateur des valeurs appliquées de façon constante pendant une bonne période de temps.

Il s'agit dont là d'une forme de rapport de force qui, tout en étant souvent positif, peut permettre à un négociateur d'épargner du temps lors de l'établissement d'un climat de confiance et lors du processus qui consiste à convaincre le co-négociateur d'adapter un processus de négociation coopératif.

g) *Septième catégorie : l'apparence de légitimité*

Une dernière façon d'obtenir un rapport de force externe favorable consiste à conférer à nos demandes ou à nos offres une apparence de légitimité.

Il s'agit là effectivement de l'obtention d'un rapport de force favorable à cause d'un facteur purement psychologique.

Le meilleur exemple de ce rapport de force consiste dans l'utilisation de documents imprimés.

Ainsi, qui d'entre nous a eu l'idée de négocier les conditions de sa dernière police d'assurance automobile?

Le fait que la police d'assurance soit imprimée en petits caractères sur un document qui ne laisse pratiquement aucun emplacement pour des changements lui confère une apparence de légitimité et un caractère fixe qui fait en sorte qu'on le croit non négociable.

Un négociateur américain, M. Roger Dawson, qui possède également certains immeubles à revenus se plaît à raconter l'expérience suivante qu'il a vécue au moment de la négociation de baux.

Lorsqu'il a commencé à négocier les baux avec ses locataires, M. Dawson avait pris connaissance d'une formule de bail-type généralement utilisée dans l'état de Californie où étaient situés ses immeubles. Trouvant que la formule était extrêmement dure pour les locataires et les privait de plusieurs droits légaux, et dans le but d'établir une formule plus équitable, M. Dawson a tout d'abord préparé sa propre formule de bail, laquelle était dactylographiée.

Or, M. Dawson s'est aperçu que ses locataires, s'apercevant qu'il s'agissait d'une formule de bail particulière, avaient tendance à la lire attentivement et à consacrer beaucoup d'énergie à la négocier et à modifier plusieurs des clauses.

Après quelque temps, et bien que la formule de bail-type utilisée par plusieurs locateurs dans cet état lui apparaissait fort plus favorable aux bailleurs que celle qu'il utilisait lui-même, il a décidé de tenter d'adopter la formule-type imprimée.

Dès lors, la quantité de négociations diminua de façon dramatique et, de fait, la plupart de ses nouveaux locataires acceptèrent de signer sa nouvelle formule de bail-type sans modification.

Cette anecdote illustre fort bien le pouvoir de la légitimité qui peut résulter de l'utilisation de contrats imprimés.

Plusieurs entreprises utilisent d'ailleurs ce pouvoir en faisant imprimer des formulaires, des demandes, des offres et des contrats alors que le coût pour ces entreprises de l'impression n'est pas justifié par le nombre de documents qu'elles utiliseront dans l'année.

D'ailleurs, les progrès récents en matière d'édition informatique permettent de conférer à un document l'apparence d'un document imprimé à très peu de frais.

La légitimité peut également découler d'un processus qui apparaît nettement établi et non modifiable.

Lorsque vous passez à la caisse d'un supermarché avec un produit sur lequel apparaît l'étiquette du prix, vous n'êtes pas vraiment tenté de le négocier.

En effet, le système du supermarché par lequel le prix est établi d'avance, affiché par étiquette sur le produit puis poinçonné à une caisse enregistreuse, est un processus qui laisse peu de latitude à la négociation.

Dans d'autres contextes, le fait qu'un vendeur se présente avec une liste de prix, d'escomptes et de conditions imprimés peut leur conférer un caractère beaucoup plus légitime que si le vendeur ne fait que se contenter d'écrire sur une pièce de papier les prix qu'il désire obtenir pour les produits qu'il vend.

Il s'agit donc là d'une source de rapport de force non négligeable dans beaucoup de cas et qu'il faudra reconnaître puisque, lorsque le jeu en vaut la chandelle, il ne faudra pas hésiter à questionner le caractère vraiment légitime de ce qui nous est proposé et à insister pour obtenir une solution équitable et non pas une solution établie d'avance par l'une des parties.

2. Les sources du rapport de force interne

Comme nous l'avons souligné au début de ce chapitre, il existe aussi d'autres éléments devant être considérés lorsque nous étudions le rapport de force entre les parties et leurs négociateurs, à savoir les éléments concernant le rapport de force interne, c'est-à-dire ce rapport de force relié directement à l'objet de la négociation ou au processus de négociation.

Les éléments de ce rapport de force interne se retrouvent généralement dans les catégories suivantes :

a) Première catégorie : l'habileté

L'habileté d'une partie ou d'un négociateur à bien écouter, à saisir ce que l'autre partie veut réellement lui dire, à poser des questions, à bien comprendre les intérêts réciproques en jeu et à exprimer ses messages dans un langage clair et logique sera souvent une force importante qui fera en sorte que le négociateur pourra évoluer rapidement vers une solution satisfaisante.

Encore plus, la solution à laquelle pourra en arriver un négociateur habile tiendra souvent compte des intérêts de fond des parties et non pas seulement des positions ou des demandes exprimées comme pourra le faire un négociateur moins habile. La recherche de l'intérêt est souvent un travail qui nécessite une bonne dose d'habileté du négociateur qui désire s'y attarder.

b) Deuxième catégorie : la connaissance et la préparation

Possiblement deux des éléments les plus importants et les plus puissants du rapport de force interne, la connaissance et la préparation du négociateur seront souvent déterminantes quant à l'issue d'une négociation.

Nous avons déjà vu certains éléments de cette préparation ainsi que son importance et, d'après nous, il s'agit d'un élément majeur du rapport de force interne qui peut exister lors d'une négociation.

c) Troisième catégorie : la capacité d'établir une bonne relation

Il ne faudra pas non plus sous-estimer l'élément du rapport de force que représentent la capacité et la facilité de l'un ou l'autre des négociateurs (ou des deux) de pouvoir établir entre eux une bonne relation, de pouvoir communiquer de façon claire, de comprendre la communication de l'autre et d'inspirer la confiance.

d) Quatrième catégorie la créativité

Aussi, la créativité du négociateur dans la recherche de solutions qui répondent aux intérêts des parties pourra être un autre élément favorisant grandement l'acceptation des solutions proposées.

e) Cinquième catégorie : l'équité

La conviction du négociateur, reconnue par l'autre, de pouvoir et de vouloir en arriver à une solution qui soit légitime et équitable pour les deux parties constituera aussi un élément permettant souvent de mettre en place une communication plus claire, d'obtenir la divulgation de faits réels et concrets par les deux parties, d'obtenir les renseignements précieux sur les véritables intérêts en cause et de bâtir ce climat de confiance nécessaire à un processus de négociation fructueux.

f) Sixième catégorie : la patience

La patience peut aussi être, dans beaucoup de circonstances, un facteur extrêmement puissant du rapport de force interne.

Très souvent, une partie ou un négociateur pourra devenir impatient au fur et à mesure du déroulement des discussions qui peuvent parfois paraître progresser lentement, et cette impatience pourra se manifester éventuellement par une perte de rigueur et une volonté d'en arriver trop hâtivement à une entente pour ensuite réaliser qu'elle est incomplète ou insatisfaisante.

L'on connaît d'ailleurs la capacité phénoménale des négociateurs orientaux à utiliser cette arme avec une efficacité remarquable.

g) Septième catégorie : l'engagement

L'engagement réel par une partie ou un négociateur à certains principes peut également être un élément du rapport de force interne puisque, dans la mesure où l'engagement est réel et exprimé clairement, l'autre partie pourra l'accepter rapidement comme cadre de référence à l'intérieur duquel doit évoluer la négociation.

3. Comment minimiser l'impact négatif d'un rapport de force défavorable

De l'ensemble des éléments du rapport de force précédemment décrit, nous constatons que, sauf à l'égard de deux d'entre eux seulement (le rapport de force basé sur le pouvoir de punir ou de récompenser et celui basé sur une conjoncture), les différents éléments constituant un rapport de force peuvent être contrebalancés par une préparation adéquate, ou par le recours à des personnes possédant les habiletés ou les connaissances manquantes ou, enfin, par une adaptation de son plan de travail en fonction de la situation qui se présente.

Ainsi, et même dans le cas où le rapport de force est basé sur le pouvoir de punir ou de récompenser, il sera possible d'ajuster les différents éléments qui seront proposés par le négociateur en tenant compte de la situation et en accentuant le travail de préparation relié à la meilleure alternative de l'autre partie.

Prenons l'exemple d'une négociation d'augmentation de salaire.

Il s'agit là d'un exemple où le patron possède généralement à la fois la force basée sur le pouvoir de punir et de récompenser et, souvent, celle basée sur l'autorité légitime que nous avons vue plus tôt.

Dans ce contexte, l'employé qui désire obtenir son augmentation de salaire pourra mettre plus d'emphase sur la partie du travail de préparation qui consiste à vérifier ce que gagnent dans l'entreprise d'autres personnes occupant des fonctions comparables, ce que gagnent à l'extérieur des personnes occupant des fonctions similaires, sur les facteurs démontrant son efficacité au travail et la rentabilité de ses efforts pour l'entreprise et sur les coûts que l'entreprise devrait assumer dans l'éventualité de son départ.

Cette préparation complétée, l'employé pourra également développer plus spécifiquement ses arguments qui reposent sur son expérience, sa connaissance de l'entreprise, son attachement de l'entreprise, les efforts particuliers qu'il a faits et qui se sont avérés rentables pour l'entreprise, ses initiatives et, généralement, sur l'ensemble des facteurs démontrant, d'une part, que l'entreprise peut lui payer son augmentation salariale sans pour autant compromettre ses échelles de rémunération et celles qui pourront permettre à son patron de justifier, vis-à-vis ses propres employeurs ou son conseil d'administration, la justesse de l'augmentation accordée.

Il sera donc plus important, dans ce type de négociation où le rapport de force peut nous être défavorable, de bien cerner l'intérêt de l'autre partie, de bien lui démontrer que cet intérêt sera mieux desservi par la solution proposée que par toute autre solution en mettant moins d'accent sur notre propre intérêt.

Dans un autre contexte, dans le cadre du rapport de force basé par exemple sur l'autorité apparente, l'utilisation d'une certaine dose raisonnable de flatterie ainsi que d'arguments basés sur le peu d'importance des gains que peut faire l'autre partie en y investissant beaucoup de temps peut permettre d'obtenir rapidement une solution plus avantageuse qu'une confrontation où l'on mettrait en doute les attributs de l'autre partie.

D'ailleurs, dans beaucoup des situations relatives au rapport de force que nous avons vu précédemment, il est possible, par une préparation adéquate, d'aller nous-même chercher plusieurs éléments (surtout à l'égard du rapport de force interne) qui permettront souvent de contrebalancer les autres facteurs qui peuvent favoriser l'autre partie à la négociation (éléments du rapport de force externe ou conjoncturelle).

Une préparation adéquate et une planification de la négociation qui tiennent compte véritablement de la situation réelle pourront souvent être les meilleurs outils pour contrebalancer ou modifier l'importance du rapport de force respectif.

4. Le rapport de force : y croire ou s'y préparer

En conclusion à ce chapitre, il est important de reconnaître que, dans la très vaste majorité des cas, le rapport de force est un phénomème purement psychologique qui ne repose pas sur des faits concrets mais plutôt sur des apparences ou par des phénomènes culturels.

Comme nous l'avons vu, il n'y a aucune raison pour qu'une personne qui possède plus de moyens financiers se tire mieux d'une négociation qu'une personne avec des moyens limités ni aucune raison selon laquelle une formule imprimée est moins négociable qu'une formule dactylographiée.

Quant aux rapports de force qui ont une réalité plus tangible (le rapport de force basé sur des facteurs conjoncturels ou celui basé sur le pouvoir de punir ou de récompenser), ils pourront être contrebalancés en bonne partie par une préparation mieux adaptée à la situation ou par le recours de l'assistance externe aux sources extérieures (spécialistes ou autres intervenants extérieurs qui peuvent nous assister).

Dans tous les cas, une préparation complète et adéquate à la négociation qui tienne compte du contexte dans lequel cette dernière doit être menée sera un outil important afin que le négociateur puisse tenter d'obtenir une solution qui soit équitable et satisfaisant ses véritables attentes, même en cas de rapport de force défavorable.

CHAPITRE 9

L'ART DE FAIRE DES CONCESSIONS: PAS COMBIEN MAIS COMMENT

1. Les concessions mal planifiées peuvent être coûteuses

Il y a quelques années une entreprise hôtelière d'envergure avait décidé d'acquérir un certain nombre de terrains à Atlantic City afin d'y développer son plus grand complexe hôtelier.

L'entreprise délégua donc ses avocats pour procéder aux achats de terrains requis à cette fin.

Après avoir réussi à faire accepter des offres d'achat pour 12 des 13 terrains visés, les avocats se rendirent chez la propriétaire du 13e terrain, à savoir une vieille dame qui demeurait dans une petite maison bâtie sur le terrain en question. Les évaluations préalables de cette maison fixait sa valeur tout au plus à 80 000 $.

Cependant, devant l'importance du projet qui devait avoisiner près de 50 000 000 $ et dans leur hâte de finaliser rapidement le dossier, les avocats décidèrent d'arriver immédiatement chez cette vieille dame avec une offre que celle-ci trouverait tellement alléchante qu'elle accepterait sans condition.

Ainsi, les avocats se rendirent donc voir la personne et lui offrirent, dès le départ, un montant de 400 000 $ pour sa propriété.

La vieille dame, quelque peu surprise et indécise, voulait consulter une de ses amies avant de prendre sa décision. Les avocats lui accordèrent donc un délai de 24 heures pour accepter ou rejeter leur offre.

Malheureusement, la vieille dame avait de la difficulté à rejoindre son amie et, le délai de 24 heures écoulé, elle n'avait pas répondu aux avocats. Ces derniers se rendirent à nouveau à la résidence, augmentèrent leur offre à 600 000 $ et accordèrent de nouveau à la vieille dame un autre délai de 24 heures pour répondre.

La vieille dame tenta à nouveau par de multiples démarches, mais encore en vain, de rejoindre son amie. Quelque 24 heures plus tard, les avocats revinrent et lui offrirent 800 000 $ avec un nouveau délai de 24 heures pour répondre.

Finalement, la vieille dame réussit à rejoindre son amie et lui indiqua qu'elle avait tout d'abord reçu une offre de 400 000 $, puis, 24 heures plus tard, de 600 000 $ puis, encore 24 heures plus tard, de 800 000 $.

Évidemment, la réaction de l'amie fut de dire : N'accepte pas cette offre, invite-les à tous les jours et, de cette façon, tu gagneras 200 000 $ par jour.

Finalement, l'histoire veut que les avocats, malgré qu'ils aient augmenté leur offre jusqu'à 1 400 000 $, ne purent conclure la transaction et que, pour plusieurs années, un complexe hôtelier géant fut bâti tout autour d'un petit terrain sur lequel se trouvait une petite maison.

Outre son caractère anecdotique, cette histoire révèle que l'art de faire des concessions repose autant sur la façon dont elles sont faites que sur leur importance.

En fait, dans ce cas-ci, les avocats ont concédé 1 000 000 $ entre la première offre de 400 000 $ et leur dernière de 1 400 000 $ sans pouvoir conclure la transaction.

Or, s'ils avaient appliqué certains principes de négociation fort logiques, ils auraient probablement pu acheter la propriété en question pour un montant vraisemblablement moindre que 400 000 $, soit leur première offre.

Si nous analysons quelque peu l'anecdote, nous constatons les erreurs suivantes :

a) La première offre était trop élevée

La première erreur grave des avocats dans cette affaire a été de faire une première offre trop élevée.

L'effet immédiat de cette première offre fut sans aucun doute d'élever de façon dramatique le niveau d'attente de la propriétaire à un point tel où cette dernière n'a plus su par la suite où s'arrêter.

Cette vieille dame était vraisemblablement au courant, de façon globale, de la valeur approximative de sa propriété.

Aussi, une première offre qui se serait située à environ 75 000 $ aurait peut-être été refusée mais elle aurait pu constituer un point de départ vers une transaction qui aurait vraisemblablement pu s'effectuer pour un montant d'environ 130 000 $.

Dans cet ordre de grandeur, la vieille dame aurait su qu'elle obtenait plus que la valeur réelle de sa maison, donc qu'elle avait fait une très bonne affaire, mais à un niveau tel où elle aurait tout simplement pensé avoir fait une bonne affaire sans que son niveau d'attente ne soit porté à un degré complètement irréaliste.

L'offre initiale de 400 000 $ était tellement élevée par rapport à la valeur réelle de la maison que la vieille dame n'a plus su comment fixer son niveau d'attente.

Si la maison qu'elle croyait valoir 80 000 $ en valait 400 000 $, c'est-à-dire 5 fois plus, comment la vieille dame pouvait-elle savoir qu'elle n'en valait pas 800 000 $ ou 1 000 000 $ ou 2 000 000 $? Où devait-elle s'arrêter?

Nous verrons ci-après certains principes relatifs à la façon de présenter l'offre initiale.

b) Les concessions subséquentes ont été faites trop facilement

La deuxième erreur des avocats dans cette histoire a été de consentir des concessions trop facilement et sans aucune justification.

En effet, qu'a fait la vieille dame pour obtenir la première concession de 200 000 $? Tout simplement attendre 24 heures. Qu'a-t-elle fait maintenant pour obtenir la concession suivante aussi de 200 000 $? La même chose.

Cette facilité d'obtenir des concessions importantes sans justification d'aucune sorte a sans aucun doute accru considérablement le désarroi déjà occasionné par la première offre.

Ces concessions subséquentes importantes n'ont sans doute fait que renforcer chez la vieille dame l'impression dégagée par la première offre à l'effet que la valeur de la maison pour eux était vraisemblablement beaucoup plus élevée que la première offre, puis vraisemblablement beaucoup plus élevée que la deuxième et ainsi de suite.

En aucun cas, par leurs concessions, les avocats n'ont-ils démontré que leurs concessions les approchaient d'un plafond ultime mais, à chaque fois, ils ont persisté de faire des concessions faciles et rapides sans que la vieille dame n'ait à travailler pour les obtenir.

c) Les concessions ont été mal planifiées

Une troisième erreur des avocats a été tout simplement de ne pas planifier leur processus de concessions.

En effet, la deuxième concession fut aussi importante que la première, la troisième aussi importante que la deuxième et ainsi de suite.

En ce faisant, ils ne faisaient que créer l'impression qu'il y aurait un nombre illimité de concessions d'importance égale ou supérieure à venir sans jamais montrer qu'ils en arrivaient à la limite de leur volonté ou de leur capacité de payer.

Aussi, ne doit-on pas se surprendre que la vieille dame décida d'attendre de 24 heures en 24 heures puisque chaque nouvelle échéance lui rapportait une concession de 200 000 $ et que les avocats sont ainsi allés jusqu'à 1 400 000 $ sans jamais démontrer, par leur processus de concessions, qu'ils s'approchaient d'une limite ultime.

Aussi, arrivé à la limite maximale de 1 400 000 $, lorsque les avocats informèrent la vieille dame du fait qu'ils n'iraient pas plus haut, cette dernière ne les crut évidemment pas puisque les avocats n'avaient jamais démontré, par le processus de concessions, qu'ils en arrivaient à un plafond et, de fait, à chaque occasion où elle n'avait pas répondu, ils avaient fait facilement et rapidement une nouvelle concession d'importance.

d) Les négociateurs n'ont pas porté suffisamment attention à l'intérêt de l'autre partie

Une autre erreur majeure faite dans cet exemple a été que les négociateurs ne se sont jamais penchés sur l'intérêt de la propriétaire.

En effet, ils n'ont fait que lui proposer une somme d'argent pour sa maison sans jamais vérifier si cette personne avait des intérêts ou des souhaits dont la satisfaction pourrait mieux la motiver à conclure une entente.

Ainsi, la vieille dame attachait peut-être une valeur sentimentale à sa petite maison et, dans ce cas, les négociateurs auraient pu préparer une offre qui tienne compte de ce facteur tel, par exemple, lui offrir de déménager la maison en entier sur un autre terrain mieux situé tout en l'indemnisant pour ces inconvénients.

Une solution qui est adaptée aux besoins et à l'intérêt de l'autre partie sera toujours plus satisfaisante pour toutes les parties concernées à une solution qui n'en tient pas compte.

Bien qu'il s'agisse d'une situation fort particulière, et sans doute unique, il s'agit quand même là d'un exemple des erreurs que nous commettons tous un jour où l'autre, dans le cadre d'une négociation.

Nous verrons ci-après six (6) principes relatifs à la manière de faire des concessions lesquels, s'ils sont bien suivis, peuvent éviter de faire des concessions excessives ou d'amener involontairement un blocage dans les négociations.

2. Faire une première offre raisonnable qui laisse une certaine marge de manoeuvre

Nous avons déjà vu, quelque peu, la façon de faire une première offre.

À ce moment, nous avons indiqué qu'il était nécessaire que cette première offre soit à un niveau qui apparaisse raisonnable à l'autre partie mais, d'autre part, qu'elle devrait laisser au négociateur une marge de manoeuvre pour permettre justement une négociation.

Un autre avantage de procéder avec une offre de départ qui soit raisonnable tout en laissant au négociateur une marge de manoeuvre, et qui est très bien illustrée par l'exemple précédent, est de maintenir à un niveau raisonnable les attentes de l'autre partie sur ce sujet.

Prenons un autre exemple.

Je désire vous vendre une lampe que je n'utilise plus. Il me semble à moi que cette lampe devrait valoir environ 25 $.

Après votre examen, vous m'en offrez 30 $. Quelle sera ma réaction?

Bien que je serai très heureux d'entendre ce chiffre dès votre première offre, je me dirai vraisemblablement que si vous m'offrez 30 $ dès le départ, vous serez prêt à m'offrir plus. Il est donc vraisemblable que je refuserai votre offre ou que je ferai moi-même une contre-offre quelque peu plus élevée.

D'ailleurs, si j'accepte immédiatement en souriant votre offre de 30 $, vous vous poserez vous-même la question à savoir si vous n'avez pas fait une offre trop haute. Il se peut même que, si j'accepte trop rapidement votre offre avec un sourire un peu trop grand, vous considéreriez éventuellement que vous n'avez pas fait une si bonne affaire parce que vous avez probablement offert trop.

L'on voit donc l'utilité, autant pour maintenir les attentes des parties à un niveau raisonnable compte tenu des circonstances que pour permettre une meilleure satisfaction que chaque partie pourra retirer de la négociation, que le négociateur soumette une offre initiale basse, ce qui maintiendra des attentes à un niveau raisonnable et laissera une marge de manoeuvre suffisante pour pouvoir la modifier au cours des négociations.

3. Vos concessions doivent être difficiles à obtenir

Le deuxième grand principe en matière de concessions est de ne jamais accorder une concession sans que l'autre partie n'ait eu à fournir des efforts pour l'obtenir ou, encore mieux, dans beaucoup de cas, sans que l'autre partie n'ait elle-même dû concéder quelque chose en échange.

Dans les deux cas, ce principe repose sur une théorie fort connue et aujourd'hui acceptée à savoir que la valeur perçue d'un service (quelle que soit sa nature) diminue rapidement avec le passage du temps.

Ainsi, si vous faites une concession rapidement dès le début d'une négociation, même si cette concession est d'importance, sa valeur pour l'autre négociateur risque de ne pas paraître aussi élevée lorsque vous lui demanderez une autre concession à la toute fin de la négociation, quelques heures, jours ou semaines plus tard.

Aussi, plusieurs concessions que nous sommes prêts à faire peuvent servir de monnaie d'échange intéressante et le fait de les faire sans contrepartie sérieuse est, à toutes fins pratiques, équivalent à jeter de l'argent à l'eau.

Aussi, le deuxième grand principe que je vous suggère d'utiliser en matière de concession est celui de faire en sorte que l'autre partie doive toujours travailler fort pour les obtenir et que, dans toute la mesure du possible, vous ne les consentiez que lorsque vous aurez reçu soit une justification valable et acceptable, soit une contrepartie qui soit équivalente.

D'ailleurs, le fait de négocier en faisant en sorte que l'autre partie doive toujours travailler pour obtenir une concession aura souvent aussi pour effet que l'autre partie décidera, en cours de route, de minimiser le nombre de concessions qu'elle vous demandera.

L'un des effets que j'ai souvent vu lorsque des concessions sont faites trop facilement, c'est que l'autre partie ajoute à ses demandes en cours de négociation.

Ainsi, si l'autre partie croyait, avant le début d'une rencontre, qu'en 3 heures elle pourrait obtenir sept (7) concessions et qu'elle les a toutes obtenues en 1 heure, l'on peut comprendre qu'elle ajoutera des demandes additionnelles surtout si chaque concession est obtenue facilement.

À l'inverse, si, au bout de 2 1/2 heures, la partie n'a obtenu que deux concessions, on peut aussi comprendre qu'il y a des chances qu'elle ne présentera même pas ses 6e et 7e demandes.

Cette technique devrait d'ailleurs être utilisée en s'intensifiant au fur et à mesure que la négociation progresse.

Ainsi, plus l'on avance dans la négociation, plus chaque concession demandée par l'autre partie devrait être difficile à obtenir et plus la contrepartie exigée pour chaque concession devrait être élevée.

En ce faisant, vous transmettrez l'impression claire que vous arrivez bientôt au point où vous ne ferez plus de nouvelles concessions et, ainsi, vous lancerez aussi un message qui aura tendance à empêcher toute inflation du niveau d'attente de l'autre partie ou de son négociateur.

4. Planifier ses concessions dans une séquence logique

Un autre aspect de l'art de faire des négociations consiste également dans la planification logique de celles-ci.

Imaginons le cas suivant.

Je désire vous vendre ma maison. Selon les évaluations préliminaires que j'ai fait effectuer, elle aurait une valeur marchande à peu près de l'ordre de 145 000 $.

Après quelques visites et échanges amicaux, vous me faites une première offre de 130 000 $. Nous poursuivons nos discussions, je vous vante la maison, vous m'expliquez vos problèmes de financement et, quelques minutes plus tard, vous augmentez votre offre de 130 000 $ à 138 000 $.

Je vous souligne à nouveau que ceci est insuffisant, nous poursuivons nos échanges et, une demi-heure plus tard, vous augmentez à nouveau votre offre à 149 000 $.

Devant cette façon de faire vos concessions, croyez-vous que je considère que vous êtes près de votre limite?

Probablement pas. En effet, après une première concession de 8 000 $, vous m'en faites une deuxième de 11 000 $, à savoir encore plus importante que la première.

Le message que vous me transmettez est que vous êtes vraisemblablement prêt à monter encore de plusieurs milliers de dollars.

Il en aurait été vraisemblablement autrement si vous étiez passé d'une première offre de 130 000 $ à une deuxième offre de 138 000 $ puis à une troisième de 141 000 $ et une quatrième de 142 000 $ et une cinquième de 142 250 $.

Comme vendeur, j'aurais facilement pu constater la logique de ce schéma de concessions et j'aurais été effectivement amené à penser que votre dernière offre était à peu près à la limite de ce que vous étiez prêt à payer.

Il est important pour tout négociateur que les messages qu'il désire transmettre le soient de façon claire pour être bien compris.

Or, par un processus de concessions mal orchestré, l'on peut rendre un message très difficile à comprendre.

En revenant à l'exemple précédent, si, après être passé de 130 000 $ à 138 000 $ et de 138 000 $ à 149 000 $, vous m'informez que 149 000 $ est votre prix limite, j'aurai quelque difficulté à accepter cette proposition, compte tenu de vos agissements antérieurs.

Il me sera cependant beaucoup plus facile d'accepter la proposition à l'effet qu'un prix final de 142 500 $ est le dernier prix que vous m'offrirez si vous avez utilisé le deuxième schéma de concession, c'est-à-dire de 130 000 $ à 138 000 $ puis de 141 000 $ à 142 000 $ puis de 142 000 $ à 142 250 $.

Dans le processus de préparation et de planification d'une négociation, il sera donc important de tenir compte de la façon dans laquelle les concessions ou les échanges seront faits et obtenus et non seulement de l'importance des concessions que l'on sera prêt à faire.

5. Attention aux délais

La quasi-totalité des études portant sur les concessions ont démontré que les concessions les plus nombreuses et les plus importantes étaient faites dans le dernier 20 p. cent du temps total qui était alloué à une négociation.

L'on voit donc à nouveau l'importance des limites de temps et de la pression qu'elles peuvent créer sur les négociateurs.

D'autre part, ces mêmes études ont démontré que les négociations qui étaient conduites de façon trop rapide avaient tendance à favoriser nettement l'une ou l'autre des parties alors que les négociations qui s'étendaient sur une plus longue période de temps avaient plutôt tendance à en arriver à un accord qui soit équitable et qui ne favorise pas trop ni l'une ni l'autre des parties.

Si nous mettons ces deux principes ensemble, nous constatons qu'il est extrêmement important de bien planifier ses concessions et de bien se préparer à l'avance de façon à ne pas céder sous la pression d'une limite de temps ou d'être pris au dépourvu par une négociation rapide qui pourra nous prendre en déséquilibre et nous amener à faire des concessions importantes que nous regretterions par la suite.

Lorsqu'une négociation revêt quelque importance, il est fondamental de bien se préparer, d'y apporter toute l'attention qu'elle nécessite et de ne pas se laisser prendre au dépourvu par la seule pression du temps ou par la nécessité de conclure trop rapidement un accord.

6. Bien suivre l'évolution des concessions

Autant est-il important de bien planifier la façon dont nous faisons nos concessions afin de rendre un message qui soit clair et cohérent, autant faut-il bien suivre l'évolution globale des concessions faites de part et d'autre.

En effet, l'une des techniques de négociation qui peut être utilisée contre vous, connue sous le vocable de «salami», consiste à aller chercher un grand nombre de petites concessions qui, prises individuellement, apparaissent mineures mais, lorsque accumulées, représentent un gain majeur.

Cette technique d'obtention d'un grand nombre de petites concessions ne peut être valablement utilisée que lorsque le négociateur qui en est la victime ne maintient pas à jour des notes complètes sur le progrès des négociations et sur les concessions faites de part ou d'autre.

Si le négociateur ne maintient pas de telles notes, il pourra omettre de considérer l'ensemble des concessions faites et d'en évaluer l'importance de façon globale, se rendant ainsi une victime idéale à l'utilisation de cette technique.

Par contre, si le négociateur prend bien soin de suivre de près l'évolution des négociations et d'évaluer de façon globale, tout au long de la négociation, le total et l'ensemble des différentes concessions faites, il ne pourra être victime de ce manège et évitera ainsi que faire trop de petites concessions qui, accumulées, peuvent représenter un ensemble important.

Une autre façon de prévenir une technique de négociation du type «salami» consiste à aviser l'autre partie, dès le début des discussions, que les différentes concessions faites en cours de route ne seront finales qu'au moment où le portrait définitif de l'accord possible sera connu et que la partie aura pu l'évaluer de façon globale.

Dans ce cadre, chaque concession faite n'est qu'hypothétique jusqu'à ce que l'image d'ensemble ressorte et ce ne sera qu'à ce moment que l'accord deviendra définitif.

D'ailleurs, le fait pour le négociateur de ne pas être autorisé à donner l'engagement final de la partie qu'il représente à cet accord constitue un outil important qui permet au négociateur de consentir des concessions raisonnables en cours de route et à la partie qu'il représente d'évaluer l'ensemble des concessions et l'accord final qui peut être conclu avant d'accepter ou de refuser celui-ci.

L'art de faire des concessions constitue donc, comme nous l'avons vu au début du présent chapitre, un domaine où la façon de faire est aussi importante que le contenu des différentes concessions.

7. Adapter ses concessions à l'intérêt de l'autre partie

Lorsque, dans le cadre d'une négociation, l'on doit faire des concessions, il est important que nos concessions soient bien adaptées à l'intérêt et aux attentes de l'autre partie.

Ainsi, l'on tentera toujours d'atteindre un objectif qui consiste à faire une concession qui soit plus valable pour l'autre partie qu'elle nous est coûteuse.

Voyons l'exemple suivant.

Je tente de vous vendre mon automobile pour une somme de 15 000 $ qui est une valeur raisonnable alors que je ne voulais pas payer plus de 13 000 $ puisque vous n'avez pas plus que cette somme à dépenser.

Si nous limitons notre discussion au prix, je n'aurai éventuellement pas d'autres choix que d'accepter votre offre maximale à 13 000 $ puisque, de toute façon, vous ne possédez pas plus que ce montant.

Par contre, si je constate que vous êtes vraiment intéressé à acheter une automobile et que vous reconnaissez que le prix de 15 000 $ pourrait être raisonnable, je pourrais alors plutôt vous consentir des modalités de paiement qui permettront de ne dépenser initialement que la somme de 13 000 $ que vous possédez et de me payer un solde, disons de 1 200 $, sur une période de 24 mois.

En adaptant ainsi mes concessions et besoins légitimes, j'obtiendrai de cette façon un prix qui se rapproche beaucoup plus de mes attentes alors que vous n'aurez pas à débourser plus que vous ne possédez.

CHAPITRE 10

UNE BONNE COMMUNICATION = UNE BONNE NÉGOCIATION

Quel que soit le degré de préparation que nous plaçons dans une négociation, l'aboutissement de celle-ci sera une communication.

Naturellement, il ne faudra pas négliger ce dernier aspect.

Par contre, très souvent, certains éléments particuliers du processus de communication sont surestimés (tels, par exemple, les tactiques) alors que d'autres sont tout simplement ignorés.

De fait, il ne serait pas hasardeux de soutenir que la communication comme telle est rarement sous-estimée dans son ensemble mais que plusieurs de ses éléments importants (dont, surtout, l'écoute active et l'utilisation judicieuse de questions non agressives) sont mal connus ou mal compris alors que d'autres (tels les tactiques) font l'objet d'une sur-utilisation qui rend le processus de négociation souvent moins efficace.

Nous verrons donc, dans le présent chapitre, six (6) des éléments importants au processus de communication, à savoir :

- les outils de communication
- l'écoute active
- les questions non agressives
- le maintien d'une bonne relation de travail
- les tactiques
- la différence entre bien paraître et bien réussir

1. Bien choisir ses outils de communication

Le monde moderne nous offre toute une panoplie d'outils de communication.

Ainsi, selon le contexte de la négociation et l'endroit où se trouvent les négociateurs, la négociation pourra avoir lieu par rencontres individuelles, par rencontres de groupe, par échanges écrits, par voie téléphonique, par conférences audiovisuelles, par transmission par télécopieur ou par échanges de données informatiques.

Chacun de ces moyens de communication présente cependant, dans le contexte d'une négociation, certains avantages et certains inconvénients qu'il faut connaître afin de pouvoir utiliser le meilleur outil disponible dans chaque circonstance.

À cette fin, je diviserai les différents outils de communication en trois (3) catégories, à savoir une première catégorie où les négociateurs sont en présence l'un de l'autre, ensuite la catégorie où les négociateurs peuvent se parler et échanger entre eux mais où ils ne sont pas en présence l'un de l'autre et, enfin, la catégorie où les négociateurs n'ont pas une communication immédiate entre eux.

a) Les rencontres face à face entre négociateurs (le face à face)

Sauf dans le cas où l'équilibre entre, d'une part, l'importance de la négociation et, d'autre part, les coûts qui seront engagés pour que cette négociation puisse se faire par voie de rencontres physiques, ne justifie pas que la négociation se fasse de ce moyen, la rencontre physique demeure encore la meilleure façon de permettre d'en arriver à une entente complète.

En effet, lors de rencontres physiques, les négociateurs ont l'opportunité de poser des questions, d'obtenir des réponses immédiates, de concentrer leurs efforts pendant une bonne période de temps à la résolution de la divergence et, généralement, d'établir entre eux un contact qui peut favoriser grandement l'établissement d'une relation de confiance et l'atteinte d'un accord négocié.

Aussi, de façon générale, nous devons nous dire que si vous voulez atteindre un accord négocié, la rencontre personnelle par voie de réunions entre les négociateurs est encore, et de loin, la meilleure façon de négocier.

Cependant, si les coûts engendrés par de telles rencontres s'avèrent exorbitants en relation avec l'importance de la négociation, l'évolution de la technologie devrait nous permettre prochainement d'avoir accès aux rencontres audiovisuelles où les négociateurs se trouveraient physiquement à distance l'un de l'autre mais pourraient communiquer autant par l'image que par la parole par le biais d'un véhicule audiovisuel.

Des expériences dans ce domaine ont déjà été faites mais l'usage de cette méthode est encore trop peu répandu pour que l'on puisse en tirer des conclusions valables.

Cependant, il n'en demeure pas moins que le contact physique peut permettre une relation plus immédiate et complète qu'une rencontre, même audiovisuelle, que cette dernière ne devra être considérée comme un substitut imparfait (mais peut-être le meilleur substitut) à la rencontre physique qui demeure toujours, selon moi, le meilleur moyen d'en arriver à une solution négociée.

b) La communication orale

La deuxième catégorie d'outils de communication est celle où les négociateurs peuvent échanger entre eux sans être en présence physique l'un de l'autre.

Essentiellement, il s'agit surtout de la communication par téléphone, quoique l'échange direct par voie informatique peut aussi entrer dans cette catégorie.

Le téléphone, comme véhicule de négociation, apparaît à la longue comme présentant des dangers importants par rapport à la rencontre physique.

Les principaux dangers de ce moyen de communication sont les suivants :

- Sur le plan psychologique, il est plus facile de dire non au téléphone que lors d'une rencontre physique.

Il s'agit donc d'un moyen de communication qui peut mener plus souvent à des blocages dans les discussions qu'une rencontre physique;

- Il s'agit d'un moyen de communication où l'on ne peut percevoir les réactions et les attitudes non verbales de l'autre partie, ce qui nous prive d'un outil d'information important;
- Il s'agit malheureusement d'un moyen de communication souvent sous-estimé.

  Ainsi, dans beaucoup de cas, l'on ne prépare pas une conversation téléphonique avec le même soin que l'on prépare une rencontre et l'on peut se faire surprendre par ce manque de préparation;
- Il s'agit d'un moyen de communication souvent immédiat et peu planifié. Ainsi, une rencontre fera généralement l'objet d'un rendez-vous fixé au moins quelques heures et souvent plusieurs jours à l'avance alors que l'appel téléphonique peut venir de façon complètement impromptue.

  Surtout pour celui qui reçoit un appel alors qu'il n'y est pas préparé, le fait de s'engager dans une négociation au téléphone sans s'y être adéquatement préparé peut renfermer des écueils importants;
- Il s'agit d'un moyen de communication dont le suivi peut dépendre du souvenir que chacune des parties a de la conversation. Or, dans plusieurs cas, ce dont chacune des parties se souviendra peut ne pas être identique et entraîner, d'autant, des problèmes d'application ou des problèmes subséquents dans le cours de la négocation;
- Il s'agit enfin d'un moyen de communication par lequel l'on ne peut échanger rapidement un certain nombre de données.

  Ainsi, il est très difficile d'expliquer la teneur précise d'un tableau ou d'un graphique par téléphone, à moins que la communication ne soit accompagnée par une autre forme parallèle de communication (par exemple, par bélinographe).

Bien que l'on ne doive pas nécessairement écarter le téléphone comme mode de communication dans toutes les négociations, il convient de reconnaître les dangers qui sont inhérents à ce processus de communication et y apporter le soin requis.

Ainsi, l'on ne prendra pas un appel concernant une négociation importante avant d'être suffisamment préparé à y répondre et l'on ne s'engagera pas au téléphone dans une négociation dans le cas où l'on désire en arriver à une solution négociée d'une divergence ou d'une difficulté importante.

Par contre, le téléphone demeure un véhicule fort utile s'il s'agit de refuser une proposition ou de mettre fin à une négociation en cours.

c) La communication sans échange immédiat

Cette troisième forme, caractérisée surtout par l'échange d'écrits sous toutes leurs formes (lettres, projets d'ententes, notes, données écrites, etc.) est une autre forme souvent utilisée en négociation.

Elle a souvent l'avantage de prendre peu de temps et de permettre d'établir clairement les modalités proposées. Elle a aussi l'avantage (ou l'inconvénient selon l'angle où l'on se place) de demeurer; ainsi, l'auteur d'une communication écrite pourra très difficilement invoquer une erreur de perception de celui qui l'a reçue pour révoquer ou modifier une proposition faite.

Par contre, il s'agit aussi d'un véhicule souvent surestimé puisqu'il présente certains dangers dont :

- Il s'agit souvent d'un véhicule beaucoup plus lent que les autres.

  Même si le processus de transmission comme tel peut être aussi rapide que la communication téléphonique (par exemple, par bélinographe), le temps de bien préparer, corriger et finaliser une proposition écrite peut courir parfois sur plusieurs jours et, à ce titre, l'on doit souvent considérer ce type de communication comme plus lent que les autres modes de communication;

- Il s'agit aussi d'un mode de communication qui, tout en apparaissant plus précis que la communication téléphonique sous bien des aspects, peut entraîner des problèmes d'interprétation. Ainsi, ce que l'expéditeur du message a voulu transmettre en l'écrivant peut être mal compris ou être mal perçu de la part du récepteur du message.

D'ailleurs, les difficultés d'interprétation dans les documents écrits, que ce soit des échanges de correspondance ou des ententes, constituent l'une des sources privilégiées des litiges qui aboutissent quotidiennement devant nos tribunaux.

Cependant, dans certains cas, l'usage d'échanges de correspondance dans le cadre d'une négociation peut être un bon moyen de compléter celle-ci à faibles coûts, surtout si le facteur temps n'est pas important. Il s'agira donc de l'utiliser, comme tous les autres modes de communication, de façon judicieuse en reconnaissant ses avantages, ses inconvénients et ses dangers.

De façon générale, le choix d'un outil ou des outils de communication qui seront utilisés dans une négociation ne devrait pas tout simplement dépendre des circonstances mais devrait être établi après qu'une réflexion a été faite sur les avantages et les inconvénients de chaque mode par rapport au sujet et à l'importance de la négociation ainsi qu'aux coûts qui seront engagés par l'utilisation de l'un ou l'autre de ces moyens.

2. L'écoute active ou comment bien comprendre

Selon un proverbe bien connu, «la parole est d'argent mais le silence est d'or». D'ailleurs, un vieux philosophe ne disait-il pas que si la nature nous a dotés d'une seule bouche et de deux oreilles, ceci devrait nous aider à comprendre la proportion qui devrait exister entre la quantité de temps que nous prenons à parler et celui que nous devrions prendre à écouter.

L'une des plus graves difficultés auxquelles est confronté tout négociateur est celle qui consiste à considérer la négociation comme un match oratoire où il est primordial que l'autre partie soit vaincue par la force de nos arguments.

Bien qu'il faut reconnaître l'importance de la présentation claire, complète et convaincante de nos points forts, il ne faut pas non plus se méprendre sur le fait que la négociation réussie implique également que nous comprenions bien la situation de l'autre partie, ses intérêts, ses attentes et les différents éléments qu'elle assume en regard de sa position et de la négociation.

Pour ce faire, il est essentiel que nous n'agissions pas, dans la communication, seulement comme un émetteur de messages et que nous acceptions aussi de jouer pleinement le rôle de récepteur de messages et même, et c'est ici qu'entre en ligne de compte l'écoute active, de provocateur de messages.

Or, les recherches dans le domaine de la communication ont démontré que notre cerveau pouvait fonctionner environ 4 fois plus vite que la vitesse à laquelle l'autre partie pouvait nous parler.

Aussi, avons-nous souvent tendance à utiliser cette capacité additionnelle du cerveau sur la parole pour penser à autres choses pendant que nous recevons une communication.

Ne vous est-il jamais arrivé de penser que vous deviez arrêter au dépanneur en retournant chez vous alors que quelqu'un tentait de discuter avec vous d'un problème particulier ou de vous souvenir d'un retard à un rendez-vous pendant que l'on vous expliquait les tenants et aboutissants d'une nouvelle situation?

Bien qu'anodin dans la plupart des cas, ce genre d'écart peut devenir dommageable dans une négociation s'il nous empêche de recevoir ou d'assimiler une information qui peut être précieuse pour la recherche d'une solution qui satisfera toutes les parties.

Encore plus, cet écueil qui consiste à ne pas accorder à la communication reçue toute l'importance qu'elle devrait mériter est souvent aggravé par le fait que, dans le contexte d'une négociation, notre attention est souvent dirigée vers la réponse ou le contre-argument que nous voudrons apporter lorsque l'intervention d'une autre partie sera terminée.

Le processus se déroule souvent ainsi.

Au début de l'intervention de l'autre partie, étant bien intentionnés, nous nous concentrons sur le message reçu. Cependant, souvent dès les premières minutes, un élément ou deux éléments de la communication ne nous satisfont pas et, à compter de ce moment, nous concentrons plutôt notre attention sur la préparation de notre réponse à ces arguments ou à la préparation mentale de questions pour mettre en cause la portée de ces arguments.

À compter du moment où ce processus débute, notre attention aux éléments suivants de la communication diminue et, dès que cette attention s'améliore de nouveau, elle est souvent détournée une nouvelle fois par un nouvel élément ou quelques nouveaux éléments qui ne nous satisfont pas et le processus mental recommence.

En fonctionnant ainsi, nous pouvons perdre presque les trois quarts de la communication reçue en concentrant constamment notre attention sur des éléments qui nous étaient insatisfaisants et en préparant notre réplique, au moment où l'autre partie poursuivait son argumentation.

Bien que très fréquente, il s'agit là d'une méthode peu efficace qui peut nous faire perdre une quantité incroyable d'informations précieuses pour la conclusion d'une entente satisfaisante à toutes les parties.

Il est donc nécessaire que le négociateur qui veut réussir apprenne à concentrer son esprit sur ce que l'autre partie lui exprime comme message et à ne pas la laisser vaguer vers d'autres sujets.

D'ailleurs, des expériences démontrent qu'il est possible d'accroître, par l'apprentissage et par l'expérience, l'habilité d'une personne à écouter, mais que cet apprentissage nécessite des efforts réels constants.

Il existe cependant certains problèmes inhérents à l'apprentissage de bonnes techniques d'écoute dont :

- la résistance au changement quant à notre processus intellectuel lors d'une conversation;
- notre tendance à suivre le cheminement de nos propres idées plutôt qu'à écouter l'autre personne;
- notre tendance naturelle à écouter et à entendre ce que nous voulons bien écouter et entendre et à ne pas saisir les messages qui ne se conforment pas à nos idées préconçues (cette tendance est d'ailleurs connue sous le nom d'écoute sélective);
- l'évaluation constante des motifs amenant l'autre personne à nous véhiculer un message donné et la préparation de la contre-attaque plutôt que l'écoute;

- nos idées préconçues et les faits que nous assumons sans vérification.

Il est important que nous reconnaissions ces problèmes et que nous travaillions à les régler si nous voulons établir ce type de communication qui soit fructueux et utile lors d'une négociation.

De plus, il sera aussi nécessaire que nous nous assurions de bien comprendre, en tout temps, le message ou les messages qui nous sont transmis.

Pour ce faire, nous utiliserons l'écoute active qui, afin d'atteindre cet objectif, procède en deux (2) étapes soit :

a) Première étape

La première étape consiste à écouter attentivement tout ce que l'autre partie nous énonce sans tenter, pendant cette écoute, de forger immédiatement une réponse ou une contre-attaque à cet énoncé.

Le but sera donc d'abord, et dans une phase distincte de la réponse, de s'assurer que nous avons bien compris l'énoncé fait par l'autre partie et tous les éléments qu'il contient.

b) Deuxième étape

La deuxième étape consiste en une vérification de notre compréhension du message.

En effet, bien que, lors de la première étape, nous ayons bien entendu les mots prononcés par l'autre partie, il se peut que notre perception du sens du message que nous avons reçu soit différente du sens que veut lui donner son auteur.

Aussi, pour s'assurer d'avoir bien compris, non seulement les mots, mais aussi le message que l'émetteur désire nous transmettre, l'écoute active nous propose de valider notre interprétation du message en le retransmettant à l'autre partie dans nos termes et en vérifiant si ce que nous retransmettons est bien le message que l'autre partie a voulu nous communiquer.

Ainsi, si, au cours d'une négociation, l'autre partie nous indique que le paiement d'une marchandise commandée doit être fait dans les trente (30) jours, nous pourrrions lui reformuler son énoncé sous forme de question en lui demandant : «Si je vous comprends bien, vous désirez que le paiement de chaque marchandise commandée soit fait dans les trente (30) jours de la date où vous nous avez facturé celle-ci après l'avoir livrée?»

Si la réponse est affirmative, nous pourrons alors considérer avoir bien compris le message. Par contre, il se peut que la réponse soit différente et nous permette de préciser le message tel, par exemple, dans le cas où le vendeur veut que le paiement soit fait dans les trente (30) jours de la réception de la marchandise (et non de la facturation), ou, encore, dans les trente (30) jours de la commande ou, encore, dans les trente (30) jours d'un état de compte subséquent à la facturation.

L'écoute active permet donc de valider les messages reçus et de s'assurer de leur bonne compréhension.

La crainte de plusieurs personnes à procéder à la deuxième étape qui consiste à reformuler un énoncé sous forme de question est d'être considérée comme lentes à comprendre alors que, dans la pratique, le plus souvent, la partie qui a fait l'énoncé sera heureuse de confirmer ou de modifier le message tel qu'il a été perçu, assurant ainsi une meilleure transmission des idées.

De façon sommaire, les quelques suggestions suivantes devraient vous permettre d'améliorer la qualité de vos communications lors d'une négociation :

- Dès le début d'une communication, indiquez le but précis de la communication pour éviter des craintes inutiles de l'autre partie;
- Précisez immédiatement, dès le début d'une question, la raison pour laquelle vous désirez poser celle-ci;
- Prenez le temps de bien écouter avec attention;
- Essayez de bien comprendre;
- Limitez vos réactions pendant l'écoute;
- N'essayez pas d'évaluer l'autre personne ou les messages cachés pendant l'écoute;

- Ne tentez pas d'orienter l'autre partie par des messages verbaux ou non verbaux;
- Après que l'information ait été obtenue, analysez-la par différents moyens, dont les questions;
- Restez silencieux pendant l'écoute;
- Questionnez à la fin du message pour mieux le comprendre;
- N'hésitez pas, une fois la communication terminée, à poser des questions pour aider l'interlocuteur à diriger son attention sur des sujets spécifiques;
- Soyez réceptif aux messages non apparents et au langage non verbal;
- Apprenez à mémoriser le sens exact du message ou, encore mieux, à le noter.

D'ailleurs, dans le cas d'une négociation par équipes, plusieurs négociateurs chevronnés n'hésiteront pas à insérer dans leur équipe une personne dont le seul rôle sera de bien écouter les messages transmis par l'autre équipe.

Ce négociateur notera les principaux éléments des messages transmis verbalement ainsi que les caractéristiques qu'il aura relevées dans le message non verbal des négociateurs de l'autre équipe pour subséquemment faire rapport de ses observations aux membres de son équipe de négociation durant des caucus ou à l'extérieur de séances de négociation proprement dites.

3. Les questions

Les questions représentent sans aucun doute l'élément le plus important et le plus sous-estimé du processus de communication dans la négociation.

En effet, durant la phase de communication, les questions peuvent permettre au négociateur d'atteindre, de façon élégante, plusieurs objectifs qui peuvent être très importants dans la recherche d'une solution acceptable pour les deux (2) parties.

De fait, une simple vérification du rôle des questions dans une négociation nous amène rapidement à constater que celles-ci ont au moins neuf (9) rôles soit :

a) Premier rôle : attirer l'attention

Lorsque, dans le processus de discussion, une partie semble moins intéressée aux échanges et peu encline à écouter ce qui est avancé par l'autre protagoniste, le négociateur peut se servir de questions pour ramener l'intérêt de cette partie vers les éléments qui font l'objet de la discussion.

Ainsi, une question qui commencerait par : «Que pensez-vous de...?», joue essentiellement le rôle d'attirer l'attention de l'autre partie vers l'énoncé qui suit puisque, à la fin de l'énoncé, l'autre partie devra répondre à la question qui a été initialement posée.

b) Deuxième rôle : vérifier les hypothèses

Un deuxième rôle des questions est celui qui consiste à vérifier si des faits ou des propositions avancés par l'autre partie sont justifiés ou s'il s'agit tout simplement d'hypothèses.

Par exemple, dans une vente, si un prix a déjà été avancé par le vendeur, l'acheteur pourra, par le biais de questions judicieusement posées, tenter de savoir sur quelle base ce prix a été fixé, c'est-à-dire s'il s'agit tout simplement d'un montant avancé de façon subjective ou d'un chiffre attentivement mûri sur la base d'une évaluation ou d'autres facteurs concrets.

S'il ne s'agit que d'un prix avancé de façon subjective sans vérification, l'acheteur pourra s'attarder plutôt à convenir avec l'autre partie de critères qui devraient servir à déterminer un prix final équitable plutôt que de discuter immédiatement le chiffre qui a été initialement avancé.

Dans le second cas, c'est-à-dire si le chiffre s'avère fondé sur des évaluations ou sur d'autres données concrètes, le négociateur s'attardera plutôt à considérer attentivement les bases de ce calcul et les données sous- jacentes afin de voir si elles sont appropriées, raisonnables et équitables dans les circonstances.

c) Troisième rôle : obtenir de l'information

Il s'agit du rôle le plus évident des questions mais, si son évidence apparaît flagrante, les questions sont encore trop peu souvent utilisées pour obtenir une information qui puisse être fort utile pour bien comprendre les attentes et les intérêts de l'autre partie ainsi que ses hypothèses de travail.

d) Quatrième rôle : fournir de l'information

Les questions peuvent également être utilisées, et elles le sont souvent dans d'autres contextes, afin de fournir de l'information.

Prenons le cas d'un employé qui arrive en retard au travail. Si son patron, l'apercevant dans le corridor, lui pose la question : «Quelle heure est-il?», il peut être peu judicieux pour l'employé de lui répondre. Généralement, l'employé comprendra que son patron entend par là lui transmettre l'information qu'il est conscient du retard.

Dans le cours d'une négociation, cependant, l'utilisation de questions pour transmettre de l'information est parfois dangereuse puisqu'elle peut avoir un effet négatif sur l'autre partie.

En effet, vous pouvez vous-même mesurer votre réaction à une question qui commencerait par les mots : «Ne savez-vous donc pas que...?»

e) Cinquième rôle : aider à comprendre les énoncés de l'autre partie

Un cinquième rôle que les questions peuvent bien jouer est celui qui permet au négociateur de bien comprendre les énoncés de l'autre partie.

Trop souvent, prenons-nous pour acquis que nous comprenons parfaitement du premier coup ce que l'autre partie tente de nous dire.

Il s'agit d'ailleurs du rôle que jouent les questions dans un processus d'écoute active.

f) Sixième rôle : donner du temps de réflexion

Le sixième rôle des questions à l'intérieur d'une négociation est celui qui consiste à obtenir du temps de réflexion.

La façon d'atteindre cet objectif est souvent de renverser une proposition et de la retourner sous forme de question à la personne qui l'a avancée.

Par exemple, si un négociateur nous demande dans quelle mesure nous serions prêt à augmenter le prix originalement offert pour le produit, nous pourrions renverser la question en lui demandant dans quelle mesure il est prêt, de son côté, à diminuer le prix initialement demandé.

En plus de nous permettre d'éviter de faire des concessions sans aucune base justifiable, cette technique peut nous permettre de gagner un temps de réflexion fort utile avant de transmettre une réponse plus appropriée.

g) Septième rôle : faire réfléchir l'autre partie

Lorsqu'une autre partie énonce certaines hypothèses ou fait des propositions non fondées ou fait des demandes ou des offres qui apparaissent peu raisonnables dans les circonstances, l'on pourra souvent, par le biais de questions, amener cette partie à réfléchir sur la valeur réelle de sa position et sur les éléments qui pourraient permettre d'en arriver à une position plus raisonnable et acceptable dans les circonstances.

Prenons le cas de la vente d'une maison où le vendeur insiste pour exiger un prix qui est considérablement supérieur à sa valeur réelle.

Devant une telle situation, l'acheteur désireux d'acquérir la maison à un prix raisonnable pourrait, plutôt que d'argumenter sur les demandes du vendeur, poser toute une série de questions au vendeur sur le mode de calcul qui a permis au vendeur d'en arriver au prix demandé, sur les différentes techniques d'évaluation que le vendeur reconnaît, sur les transactions comparables dont le vendeur aura eu connaissance, sur l'évaluation de la maison à des fins de taxation foncière, etc., questions dont le but sera d'inciter le vendeur, sans le confronter, à comprendre l'aspect irréaliste de sa position et de l'amener à accepter ultimement des critères de détermination du prix qui soient plus justifiables et raisonnables dans les circonstances.

h) Huitième rôle : conclure une entente

Les questions peuvent aussi être appelées à jouer un rôle dans la conclusion d'une discussion visant à en arriver à une entente. Les vendeurs professionnels connaissent très bien ces questions qui visent à conclure une entente.

Dans le contexte d'une vente, les questions peuvent être du type : «Devrons-nous livrer le produit ou passerez-vous le chercher?», «Paierez-vous comptant ou par carte de crédit?», «Préférez-vous un modèle d'une telle couleur ou un modèle d'une telle autre couleur?», etc.

Dans le contexte d'une négociation, ces questions peuvent être parfois utilisées avec succès notamment dans des phrases du genre: «Si nous sommes en mesure de vous le livrer dans un délai de quinze (15) jours, comme vous nous le demandez, aurons-nous une entente?».

i) Neuvième rôle : vérifier l'autorité du négociateur

Le neuvième rôle des quesions dans une négociation est celui qui consiste à se servir de questions pour vérifier l'étendue du mandat de l'autre négociateur et son habilité à prendre des décisions pour le compte de la partie qu'il représente.

Pour vérifier cette autorité, l'on pourra tantôt poser des questions directes sur la mesure du mandat de l'autre négociateur ou, par ailleurs, nous pourrons aussi procéder par des questions plus indirectes du genre : «Si nous réussissons à nous entendre sur le prix, y a-t-il des raisons qui pourraient vous empêcher de signer le contrat dès aujourd'hui?»

Nous pouvons donc voir que les questions jouent, à l'intérieur du processus de négociation, plusieurs rôles qui peuvent tous être fort importants.

Malheureusement, plusieurs personnes impliquées dans des négociations sont fort réticentes à utiliser les questions dans leurs communications de crainte que cela ne soit interprété comme un manque de préparation de leur part ou comme un signe de faiblesse.

La réalité dans ce domaine va cependant dans un tout autre sens et indique plutôt qu'un négociateur qui sait faire un usage adéquat de questions peut bénéficier d'un avantage important sur l'autre partie.

L'un des problèmes importants qui se posent à l'égard des questions est celui de la préparation de celles-ci.

En effet, dans le feu de la communication, l'attention du négociateur doit généralement être entièrement portée sur les énoncés de l'autre partie et sur sa compréhension de ses énoncés.

Il est fort difficile, sinon impossible, de bien écouter ce que nous dit l'autre partie et, en même temps, de préparer des questions non agressives qui seront pertinentes et qui permettront au négociateur d'atteindre ses objectifs ou d'obtenir des informations utiles au succès de la négociation.

La seule façon de résoudre efficacement ce dilemme est de préparer à l'avance les questions que le négociateur entend utiliser et de diviser les différentes questions préparées suivant les différents rôles qu'elles seront appelées à jouer.

De cette façon, le négociateur possédera entre ses mains, au moment des discussions, toute une série de questions préparées d'avance qu'il pourra utiliser selon l'étape où en est rendue la communication et du but visé par l'utilisation de ces questions.

Évidemment, tout au long du processus de discussion, le négociateur mettra à jour ses listes de questions en ajoutant des questions additionnelles qui résultent des discussions en cours et en enlevant de la liste les questions auxquelles l'autre partie a déjà répondu.

Naturellement, le négociateur conservera aussi des notes complètes des réponses obtenues et s'assurera que ses réponses sont bien classées, selon le cas, dans la liste des hypothèses non encore vérifiées ou dans la liste des faits vérifiés.

En procédant ainsi, le négociateur serait également en position d'écouter plus attentivement les énoncés de l'autre partie ainsi que les réponses qu'il pourra obtenir aux questions qu'il posera.

4. Le maintien d'une bonne relation de travail

Un autre aspect important en matière de communication dans le cadre d'une négociation est celui qui consiste à maintenir une bonne relation de travail.

Différentes études sur les méthodes adéquates afin de maintenir entre les négociateurs ce type de relation qui permet à leurs échanges d'être fructueux ont démontré que l'on commettait trop souvent des erreurs importantes lorsque des difficultés de relation survenaient.

En fait, ces études ont démontré que, face à des problèmes dans les relations entre négociateurs, plusieurs d'entre eux avaient tendance à adopter certaines techniques erronées, notamment la technique «oeil pour oeil» qui, évidemment, ne règle en rien le problème ou différentes autres techniques en vertu desquelles le négociateur confond les problèmes de relation et les points qui sont l'objet de la négociation.

Ainsi, selon une variante de cette technique, un négociateur pourra être tenté d'accorder, sans justification valable, des concessions sur des questions de fond afin d'améliorer un problème de relation ou, inversement, exiger des concessions de l'autre partie sur des questions de fond afin d'améliorer la façon dont la communication procède. Selon une autre variante, le négociateur peut tenter de reporter les problèmes de relation ou de les ignorer en tentant de se consacrer uniquement sur les problèmes de fond. Toutes ces techniques présentent différentes faiblesses et ne s'attaquent pas au fond du problème de relation, lorsque ce dernier existe.

En fait, la méthode qui apparaît comme étant la plus susceptible d'apporter une amélioration éventuelle, quoique non certaine dans tous les cas, à un problème de relation consiste à maintenir, de façon persistante, une attitude constructive quoiqu'il arrive et quelle que soit la réaction de l'autre partie.

Dans ce contexte, le négociateur ne fera que poser des gestes adéquats pour la relation, que l'autre partie agisse de la même façon ou non.

Ainsi :

- le négociateur agira de façon rationnelle même si l'autre négociateur agit de façon irrationnelle;
- le négociateur essaiera de comprendre l'autre négociateur même si ce dernier ne semble pas vouloir le comprendre;
- le négociateur tentera de maintenir une communication à deux sens même si l'autre négociateur ne semble pas l'écouter;
- le négociateur demeurera fiable même si l'autre négociateur ne lui fait pas confiance;
- le négociateur demeurera ouvert à la persuasion (mais non à la pression) et essaiera de persuader lui-même l'autre partie;
- le négociateur prendra l'intérêt de l'autre partie en considération même si l'autre partie n'en fait pas autant.

Quelle que soit la réponse de l'autre négociateur à une telle attitude, l'avantage de cette dernière consiste au fait qu'elle n'entraîne aucun coût ni conséquence négative (puisqu'il n'y a pas de concession sur des éléments de fond) et elle ne fait que créer un climat favorable à une amélioration possible des problèmes de relation.

De plus, selon cette approche, le négociateur ne confond pas les intérêts des parties et les problèmes de relation entre elles, faisant ainsi en sorte de pouvoir demeurer relativement dur quant à la façon d'aborder les divergences sur les questions de fond et quant à la façon de trouver une solution tout en étant relativement flexible et ouvert à l'égard de la communication et de la relation entre les parties.

Cette méthode a donc l'avantage de créer une pression qui soit à la fois douce mais omniprésente sur l'autre négociateur afin de l'inciter à agir progressivement de la même façon, tout en accroissant progressivement le degré de confiance envers le négociateur qui l'utilise.

D'autres techniques pourront être aussi utilisées pour éviter des problèmes de communication susceptibles d'engendrer subséquemment des difficultés dans les relations. À cet égard, nous pouvons noter :

- L'utilisation de techniques adéquates lorsqu'il s'agit de poser des questions. Ainsi, les questions peuvent souvent être perçues comme agressives à moins qu'elles ne soient adéquatement formulées. Souvent, le simple fait de demander d'abord la permission de poser une question (permission qui ne sera que très rarement refusée) permet d'enlever le caractère agressif de la question.

- La formulation des interventions pourra également être importante dans la plupart des cas. Ainsi, l'on peut diluer beaucoup l'impact négatif d'une affirmation qui peut être au détriment de l'autre partie en la formulant à la première personne.

  Par exemple, une intervention du type «vous n'êtes pas digne de confiance» peut être tout aussi efficace mais perçue de façon beaucoup moins négative si elle est formulée de la façon suivante «de la façon dont nos relations ont évolué depuis la dernière année, j'ai aujourd'hui nettement l'impression que vous n'avez pas respecté votre parole».

  Le fait de personnaliser l'affirmation en la plaçant à la première personne, tout en maintenant l'efficacité de celle-ci, lui fera perdre beaucoup de son caractère accusateur et agressif.

- Une autre méthode fort efficace pour éviter des problèmes de relation consiste également à être très précis et factuel dans ses énoncés, surtout pour ceux qui peuvent apparaître agressifs.

  Ainsi, un énoncé du type «vous ne respectez jamais vos délais de livraison» peut être perçu comme une accusation injustifiée. Or, si la même affirmation est reformulée dans les termes suivants : «Au cours de la dernière année, 8 de vos 10 livraisons sont parvenues plus de 2 jours après le délai de 30 jours convenu entre nous», son impact pourra être encore meilleur à cause de cette précision tout en étant moins agressive pour l'autre partie.

  Il s'agit d'ailleurs là d'une parfaite illustration du fait qu'un négociateur de type coopératif tente d'être en tout temps dur sur les divergences mais doux vis-à-vis les personnes concernées.

Relisez le dernier exemple et vous verrez que la dernière accusation apparaît beaucoup plus forte (puisqu'elle est factuelle et semble être appuyée sur des faits recherchés) tout en paraissant moins accusatrice que la première.

- Enfin, dans certains cas, il peut être avantageux, dans le cadre d'une négociation, de faire porter le blâme de la partie difficile d'une négociation sur une tierce personne qui ne sera pas impliquée subséquemment de façon directe dans les relations entre les parties.

  Ainsi, dans plusieurs négociations de fusion ou lors de l'établissement de conventions de coparticipation ou d'actionnariat, il est possible pour l'une des parties, qui devra subséquemment continuer à fonctionner avec l'autre dans le cadre de l'entente, de maintenir de bonnes relations en faisant porter sur ses conseillers externes (avocats, comptables et fiscalistes) l'odieux de la partie difficile des négociations ou des points qui sont plus lents à se régler.

  Ces professionnels qui travaillent dans le cadre de négociations de cette nature devraient d'ailleurs accepter de bon gré de jouer ce rôle puisqu'il permet d'en arriver à une entente équitable qui répond bien aux intérêts des parties tout en évitant que les relations entre les parties qui devront subséquemment travailler main dans la main ne soient sérieusement entachées de façon négative.

5. Les tactiques : des armes surestimées

Lorsque l'on prend sur une tablette ou d'une librairie et d'une bibliothèque, un livre sur la négociation, l'on s'attend à retrouver en évidence dans le volume cette liste de tactiques destinées, en apparence, à nous permettre d'obtenir des résultats fantastiques dans toutes nos négociations indépendamment de notre position et de notre degré de préparation.

Que ce soit des tactiques aussi connues que celle du «bon et du méchant» que des tactiques aussi excentriques que celle qui consiste à raccourcir les deux pattes avant de la chaise de l'autre partie pour que cette dernière se fatigue plus rapidement et tente de mettre fin à la discussion en faisant des concessions plus importantes ou celle qui consiste à discuter pendant les trois quarts du temps alloué sur des sujets mineurs (telle la forme de la table) pour ne laisser que peu de temps près de la limite ultime aux questions de fond, chacune de ces tactiques ne peut constituer une arme dangereuse et dommageable à celui qui l'utilise sans discernement.

En fait, il se peut que certaines tactiques soient utilisées dans le cadre d'une négociation mais, si tel est le cas, ce ne sera qu'à l'intérieur d'une stratégie particularisée qui aura été adoptée à des fins précises et qui tiendra compte des facteurs d'éthique en cause.

Ainsi, nous avons déjà vu la puissance de stratégies comme la patience et le silence. Ces stratégies peuvent aussi être considérées, dépendamment de l'angle sous lequel on les regarde, comme des tactiques.

Par contre, ce qui différencie selon moi une stratégie d'une tactique est le fait qu'une stratégie consiste dans une méthode d'approche adaptée à la situation alors qu'une tactique ressemblerait plus, quant à elle, à une arme utilisée systématiquement pour améliorer notre résultat.

Selon moi, le seul avantage véritable à connaître toute cette panoplie de tactiques est de pouvoir les discerner et les reconnaître lorsqu'elles sont utilisées contre nous. Généralement, elles auront, de toute façon, un impact négatif sur la réputation de celui qui les utilise.

Si nous reconnaissons que l'objectif ultime du négociateur sera atteint lorsqu'une solution satisfaisante aux intérêts légitimes et équitables des deux parties aura été convenue, l'utilisation de tactiques pourra divertir l'attention des négociateurs sur la mécanique de la discussion plutôt que sur les véritables enjeux de celles-ci.

Or, le négociateur efficace ne perd jamais de vue les véritables enjeux de la négociation mais tente, par tous les moyens possibles, de ne pas se laisser distraire par des tactiques ni, de son côté, tenter de distraire l'autre partie par une utilisation excessive de tactiques.

En aucun cas, cependant, les tactiques ne pourront remplacer une préparation déficiente ou une perception inadéquate du rôle du négociateur.

Comme je l'ai mentionné à plusieurs reprises dans cet ouvrage, la négociation n'est pas une sorte de combat de coq où doit ressortir un gagnant et un perdant mais beaucoup plus une communication dont devrait ressortir une solution négociée acceptable aux deux parties et qui sera facilement réalisable.

6. Bien paraître ou bien réussir : voilà la question

Le dernier aspect qu'il m'apparaît important d'aborder à l'égard de la communication est ce dilemme entre bien paraître ou bien réussir.

En effet, le négociateur le plus efficace ne sera souvent pas le plus flamboyant ni celui qui apparaît maîtriser le mieux la situation.

En effet, pour bien paraître, il faut parfois poser des gestes qui se concilient mal avec la réussite de la négociation.

Ainsi, celui ou celle qui veut bien paraître posera souvent moins de questions (puisque poser des questions peut être perçu comme un signe de faiblesse). De même, celui ou celle qui veut bien paraître pourra s'impliquer plus activement dans une forme de joute ou de débat oratoire où il tentera de l'emporter par la seule force de ses arguments, ce qui, comme nous l'avons déjà vu, est contraire à l'esprit d'une saine négociation coopérative où l'écoute active et la compréhension des intérêts et des attentes des deux parties sont aussi importantes que la force de nos arguments et notre capacité à les livrer avec éloquence.

D'autre part, la personne qui veut bien paraître pourra être tentée de se livrer à une bataille d'apparence avec l'autre négociateur soit en le dénigrant soit en tentant de démontrer, de différentes façons, sa propre supériorité.

En ce faisant, elle crée souvent des problèmes de relation et de communication et elle peut aussi poser des barrières entre les parties.

À l'inverse, le négociateur qui se préoccupe de la réussite de la négociation et non pas de son apparence personnelle sera beaucoup moins réticent à utiliser des techniques de négociation qui soient efficaces et qui permettent d'atteindre le but de la négociation, même si son image peut ne pas ressortir de façon aussi éclatante.

7. Les principales règles d'une bonne communication

En conclusion à ce chapitre portant sur la communication dans le cadre d'une négociation, je crois qu'il est important de rappeler les principes suivants qui devraient guider en tout temps le négociateur :

- il est important que le négociateur conserve en tout temps son attention concentrée sur les intérêts véritables et les attentes légitimes des parties et qu'il recherche les solutions qui puissent y répondre de façon satisfaisante sans laisser distraire son attention par le processus de communication en lui-même;
- lors de sa préparation à la négociation, le négociateur devra avoir pris soin d'établir un certain nombre d'éléments qui seront importants lors de la phase de communication dont les questions relatives au lieu de la communication à un outil ou aux outils de communication qui seront choisis et aux questions qui seront utilisées lors des échanges;
- le négociateur consciencieux portera, en tout temps, une attention particulière à bien écouter et s'assurer de bien comprendre les messages qui lui sont transmis par l'autre partie puisque ces messages seront, pour lui, une mine d'or de renseignements qui lui permettront de mieux travailler à la recherche d'une solution satisfaisante pour toutes les parties concernées;
- le négociateur évitera également de mêler ensemble les questions de fond et les questions de relations et tentera, par tous les moyens, de maintenir une bonne atmosphère de travail en agissant de façon professionnelle sans pour autant faire des concessions strictement pour maintenir une bonne relation;
- enfin, le négociateur qui prend son rôle à coeur accordera beaucoup plus d'importance à l'obtention d'une solution satisfaisante pour toutes les parties et à la conclusion d'un

accord qui soit réalisable qu'à bien paraître vis-à-vis la partie qu'il représente ou vis-à-vis l'autre négociateur.

CHAPITRE 11

ADAPTER SA COMMUNICATION À LA PERSONNALITÉ DE L'AUTRE PARTIE

1. Les catégories de personnalité

Nous avons vu, au cours du chapitre précédent, plusieurs éléments importants d'une saine communication en négociation.

Cependant, ce volume ne serait pas complet sans que je n'aborde cet autre élément qu'est l'adaptation de la communication à la personnalité de son co-négociateur.

En effet, il est important de reconnaître que nous n'avons pas tous la même personnalité ni la même façon de traiter les informations que nous recevons et que, en conséquence, si je désire que ma communication devienne la plus efficace possible dans le cadre d'une négociation, j'ai tout intérêt à l'adapter pour qu'elle soit bien comprise de celui à qui je la destine.

Pour ce faire, l'un des outils dont je dispose est celui qui consiste à bien comprendre la personnalité de la personne à qui j'adresse un message et à adapter ma communication pour que cette dernière réponde le mieux possible à la personnalité de cette autre personne.

En effet, comme nous le verrons dans le présent chapitre, la personnalité joue un rôle dans la façon dont nous percevons les messages que nous recevons.

Il existe toutes sortes de théories de différentiation possible de la personnalité (intraverti vs extraverti, visuel vs auditif, conservateur vs innovateur, etc.).

Cependant, au niveau de la négociation, je crois que l'une de ces théories est beaucoup plus pratique et utile que la plupart des autres, soit celle qui divise les personnalités, de façon générale, en quatre (4) grandes catégories, à savoir :

- le pragmatique
- l'extraverti
- le conciliateur
- l'analytique

Plusieurs expériences ont démontré que cette façon de diviser les principaux traits de personnalité, bien qu'imparfaite, a l'avantage pratique de fournir un cadre de travail utilisable en matière de négociation tout en ne nécessitant pas d'études supérieures pour comprendre les traits propres à chacun de ces types de personnalité.

Nous verrons donc ci-après les principales caractéristiques de chacun de ces types de personnalité ainsi que, pour chacun d'eux, les principaux éléments auxquels nous devrons faire attention dans les communications que nous leur adressons.

Avant d'entreprendre ce travail, je désire tout d'abord vous soumettre le tableau suivant qui vous permettra de schématiser facilement les grands traits de la personnalité respective de chacune des catégories.

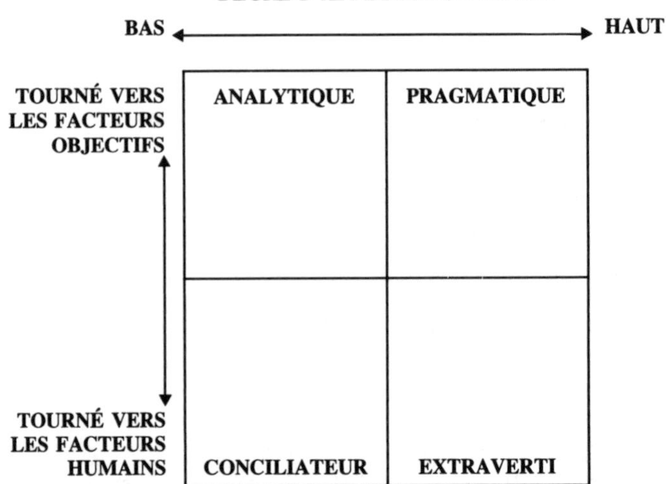

Sur ce schéma, nous pouvons immédiatement voir que les principales différences entre ces catégories reposent sur deux (2) axes soit, tout d'abord, sur l'axe de l'affirmation de soi (l'analytique et le conciliateur sont moins portés à s'affirmer que le pragmatique et l'extraverti) ainsi que sur un axe qui dépend de l'orientation générale de la communication soit vers les personnes soit vers les objets (l'analytique et le pragmatique sont plus tournés vers les choses alors que le conciliateur et l'extraverti sont plus tournés vers les personnes).

Voyons maintenant les caractéristiques propres de chacune des catégories ainsi que les différents éléments importants dont il faudra tenir compte dans les communications que nous pourrons être appelés à leur adresser.

2. Le pragmatique

Le pragmatique possède principalement les caractéristiques suivantes :

- Il s'agit d'une personne qui a beaucoup d'assurance.
- Il s'agit d'une personne qui n'hésitera pas à exprimer ses idées.
- Il s'agit d'une personne qui a tendance à vouloir prendre le contrôle des situations ou des groupes dans lesquels elle peut être impliquée.
- Il s'agit d'une personne qui prend rapidement ses décisions.
- Il s'agit d'une personne dont les décisions et les gestes seront plutôt basés sur des facteurs objectifs que sur leur impact sur les personnes.
- Il s'agit d'une personne peu portée vers l'émotion.
- Il s'agit d'une personne généralement efficace.
- Il s'agit d'une personne soucieuse de l'utilisation de son temps.

De façon générale, nous pouvons dire que nous avons ici affaire à une personne organisée, qui réagit rapidement et qui ne s'arrête pas beaucoup sur l'impact de ses décisions et de ses gestes sur les autres personnes.

Le pragmatique sera une personne qui déteste avoir l'impression de perdre son temps et qui, en conséquence, pourra devenir facilement irritable si des négociations se prolongent au-delà de ce qui lui apparaît vraiment utile.

Au niveau des communications et de la négociation, il s'agira donc d'une personne à laquelle il faudra présenter des faits concrets, solides (mais sans trop de détails) et avec laquelle nous devrons négocier par des échanges directs portant spécifiquement sur les enjeux véritables de la négociation.

Il s'agit d'une personne qui peut réagir très mal à l'utilisation de stratégies quoique la patience et le silence peuvent être très utiles lorsque nous sommes confrontés à celle-ci.

En effet, selon les caractéristiques que nous avons vues plus tôt, il s'agit d'une personne qui perdra rapidement patience et qui pourra vouloir bâcler un accord rapidement.

Prenons un exemple que nous utiliserons aussi pour les trois (3) autres types de personnalité.

Si je désire vendre quelques pièces de mobilier à un pragmatique, j'éviterai tout d'abord de parler de la valeur sentimentale de ce mobilier ainsi que de sa longue histoire. Je m'attarderai plutôt sur les éléments concrets, sa solidité, son état général, la valeur d'autres mobiliers de la même catégorie, sur le fait que je puisse le livrer rapidement et, de façon générale, sur le fait qu'il s'agit d'un excellent investissement.

Une fois cette communication directe complétée, je répondrai aux questions du pragmatique (lesquelles seront vraisemblablement peu nombreuses) et je ferai alors une offre de vente relativement ferme en spécifiant les 3 ou 4 paramètres principaux qui me font établir le prix que j'avance.

Il s'agira là d'une communication que le pragmatique préférera de beaucoup à de longs palabres sur l'histoire du mobilier, sur sa valeur sentimentale et ses aspects purement esthétiques.

3. L'extraverti

Les principales caractéristiques de l'extraverti sont les suivantes :

- Il s'agit d'une personne qui possède de l'assurance et un degré assez haut d'affirmation de soi.

- Il s'agit d'une personne qui n'hésite pas à formuler ses idées et ses craintes.
- Il s'agit aussi d'une personne qui peut prendre des décisions rapides.
- Il s'agit d'une personne qui aime s'enthousiasmer et qui se décide souvent par l'enthousiasme du moment.
- Il s'agit d'une personne très émotive et ouverte.
- Il s'agit d'une personne dont l'un des objectifs dans la vie est d'avoir du plaisir.

L'extraverti est donc une personne hautement émotive qui n'hésite pas, si un projet ne l'enthousiasme pas, à dire non.

Cependant, si le projet ou le résultat possible d'une négociation l'enthousiasme, il lui arrivera de se décider rapidement de façon positive.

Me fondant donc sur ces différents traits de personnalité, nous verrons que, dans le contexte de la vente d'un mobilier, j'agirai différemment qu'avec le pragmatique.

Je traiterai beaucoup plus de l'esthétique du mobilier, de sa valeur sentimentale, des grandes dates de son histoire (s'il y en a) ainsi que du plaisir de le posséder. Ma présentation sera évidemment faite dans le but de créer l'enthousiasme nécessaire à l'extraverti et elle sera, dans toute la mesure du possible, brève. Je chercherai à obtenir une décision immédiate après avoir utilisé tous mes efforts à enthousiasmer l'extraverti.

Si je suis suffisamment habile pour créer un niveau d'enthousiasme satisfaisant, les différents éléments de la négociation (prix, dates de livraison, etc.) ne causeront souvent que très peu d'obstacles puisque, une fois enthousiasmé, l'extraverti a tendance à vouloir conclure la transaction rapidement et à ne se soucier que très peu de ce qu'il considère alors des détails face à son objectif de posséder l'objet désiré.

4. Le conciliateur

Les principaux traits de personnalité du conciliateur sont les suivants :

- Il s'agit d'une personne qui, contrairement au pragmatique et à l'extraverti, possède peu d'assurance.

- Il s'agit d'une personne qui craindra souvent d'affirmer ses idées.
- Il s'agit d'une personne qui a mal à supporter que l'on exerce sur elle des pressions.
- Il s'agit d'une personne qui supporte mal la tension.
- Il s'agit d'une personne émotive.
- Il s'agit d'une personne qui manifeste souvent un grand souci d'équité.
- Il s'agit d'une personne qui se décide lentement après avoir longuement mûri sa décision sous tous les angles, surtout lorsque cette décision implique une certaine dose de tension.
- Il s'agit d'une personne qui aura tendance à remettre les décisions au lendemain.

Le conciliateur sera donc une personne portée vers les autres et vers l'échange d'idées et manifestera constamment un souci de ne pas causer de problèmes et de ne pas s'impliquer dans des situations où la tension est élevée.

Le conciliateur prend donc ses décisions lentement et les mûrit surtout en fonction de l'impact qu'elles pourraient avoir sur sa propre vie et sur celle des autres. Il manifestera généralement un grand souci d'équité et, pour cette raison, le conciliateur est une cible idéale pour les fraudeurs qui tenteront d'abuser de ce sentiment.

Au niveau des communications, dans l'exemple de la vente de mobilier, il s'agira plutôt d'une personne à laquelle je laisserai voir le mobilier et l'examiner sous toutes les coutures sans mettre aucune forme de pression dans le processus de vente. Je répondrai à ses questions, j'amènerai les faits intéressants, notamment au niveau de l'histoire du mobilier, de sa valeur sentimentale ainsi que les personnes auxquelles il a appartenu. Je montrerai son aspect invitant et je discuterai également de ses caractéristiques esthétiques.

Cependant, je ferai toujours très attention de ne pas brusquer le conciliateur, de ne pas créer quelque tension que ce soit et le laisser évoluer lui-même dans son processus décisionnel.

Je prendrai mon temps et je fournirai au conciliateur toutes les occasions nécessaires de poser des questions et de mûrir lentement sa décision. Dans toute la mesure du possible, je tenterai de le réconforter afin de faciliter son processus décisionnel, notamment en lui offrant certaines garanties pour le cas où il ne serait pas entièrement satisfait de son achat.

En résumé, je me ferai donc rassurant, je ne mettrai aucune pression et je serai patient face à un processus décisionnel lent.

5. L'analytique

Les principaux traits de la personnalité de l'analytique sont :

- Il s'agit d'une personne qui, comme le conciliateur, manifeste souvent peu d'assurance.
- Il s'agit d'une personne qui pourra craindre de manifester ses idées.
- Il s'agit d'une personne qui requiert, dans son processus décisionnel, une très grande quantité d'informations et de détails.
- Il s'agit d'une personne qui ne semble jamais satisfaite de la quantité et de la précision des informations reçues et qui semble toujours en requérir de plus en plus.
- Il s'agit d'une personne qui manifeste un grand souci du détail.
- Il s'agit également d'une personne dont le processus décisionnel est lent.
- Il s'agit d'une personne qui, comme le pragmatique, prend des décisions basées plus sur des facteurs objectifs que sur des facteurs humains.
- Il s'agit d'une personne qui manifeste peu d'émotions.

Les différents traits de la personnalité de l'analytique commandent, quant à eux, un style de négociation un peu différent des autres.

En effet, je devrai tenir compte du fait qu'il s'agit d'une personne portée par des facteurs objectifs, dont le processus décisionnel est lent et qui requiert une très grande quantité de détails.

Aussi, de façon évidente, j'axerai mon processus de vente de mobilier sur une très grande quantité de détails qui sont reliés aux pièces elles-mêmes. Je traiterai du processus de construction du mobilier, de la qualité des matériaux, de la compétence des personnes qui l'ont construit, de son entretien, du souci du détail dont ont fait preuve ses artisans, de sa solidité, de sa valeur à long terme, etc. Je devrai également être prêt à répondre à une grande quantité de questions et, dans le cas d'une vente importante, je me ferai accompagner d'une personne qui possède des réponses précises à ses questions (si je ne les possède pas moi-même) puisque l'analytique requiert une grande précision dans les réponses à ses questions. Une réponse vague ou peu précise peut avoir un effet négatif important sur un analytique.

De la même façon, tout en plaçant une certaine pression dans le processus de vente, je laisserai l'analytique mûrir sa décision lentement (puisque, comme le conciliateur, il déteste être bousculé dans son processus décisionnel). Il s'agira également d'une personne avec laquelle je devrai me préparer à négocier longuement et lentement toutes les conditions de la vente et à répondre, encore ici, à une grande quantité de questions sur presque tous les détails de la transaction.

6. Adapter votre communication à la personnalité du destinataire

Afin de devenir plus efficace dans sa communication, il est donc important de bien adapter celle-ci à la personnalité de celui ou de celle à qui l'on s'adresse.

Il est à noter cependant que, dans une catégorie de personnalité donnée, une personne peut posséder à un degré plus ou moins élevé les traits propres à cette catégorie. Ainsi, le tableau que nous avons présenté peut être considéré un peu comme une carte géographique à l'intérieur de laquelle peut se situer une personne. La personne pourra être très pragmatique ou avoir une tendance vers l'extraverti ou le conciliateur avec une tendance plus ou moins forte vers les traits caractéristiques de l'analytique.

Il s'agira donc de bien les reconnaître.

Comme le tableau le montre également, la meilleure façon de les reconnaître consiste à faire attention à leur style de communication sur les deux (2) axes principaux du graphique, à savoir leur degré d'affirmation de soi et leur tendance naturelle à traiter de sujets portant sur des personnes ou sur des faits.

Une attention suffisante lors de la communication sur chacun de ces deux (2) axes devrait nous permettre de situer relativement bien le trait principal de la personnalité de la personne à laquelle l'on s'adresse.

Une fois que nous aurons identifié les traits principaux de la personnalité, nous pourrons apporter les adaptations suivantes dans notre processus de communication :

- Nous pourrons adapter les éléments principaux de son propre style pour tenir compte des éléments qui caractérisent les traits de personnalité de cette autre personne.
- Nous pourrons modifier notre préparation à la négociation pour tenir compte des éléments que l'autre personne pourra, compte tenu de son type de personnalité, considérer comme plus importants, même si, pour nous, ces éléments semblent moins importants à première vue.
- Nous pourrons également modifier notre style de communication et la vitesse de notre négociation pour la rapprocher du style qui serait normalement préféré par l'autre négociateur.

Une autre façon de procéder à cette adaptation, quoique plus instinctive et, d'autant, plus difficile, consiste à refléter quelque peu les principales caractéristiques qui nous sont présentées par l'autre négociateur, un peu à la manière d'un miroir.

Ainsi, si le négociateur parle lentement, nous ralentirons notre débit de parole. Si le négociateur traite de sujets qui concernent plus l'impact sur des personnes que les facteurs objectifs, nous adapterons notre communication dans le même sens. Si le négociateur semble vouloir se diriger vers une décision rapide basée sur des facteurs concrets, nous lui fournirons les principaux facteurs concrets et adapterons notre vitesse de négociation à ce rythme.

Si cette dernière technique devait être utilisée, il est important de faire bien attention de ne pas l'amener à un extrême qui ferait en sorte qu'elle apparaîtrait peu sincère et être tout simplement une caricature ou une satyre de l'autre personne. Il ne s'agit pas de faire le «perroquet» mais beaucoup plus de s'adapter aux caractéristiques principales de communication de l'autre personne afin de rendre cette communication plus efficace et de créer une relation de travail plus facile.

En ce faisant, il ne s'agit pas d'utiliser des techniques de manipulation mais tout simplement de tenter d'améliorer encore plus notre communication.

7. La pratique de la négociation adaptée

Les éléments que nous avons vus dans ce chapitre sont vraisemblablement plus difficiles d'application que plusieurs autres éléments que nous avons vus dans ce livre et nécessitent une bonne dose de pratique pour être utilisés de façon vraiment efficace.

Il est donc important, si vous désirez utiliser ces outils qui peuvent permettre une communication encore plus efficace, que vous vous pratiquiez à reconnaître les traits de personnalité chez une autre personne et à améliorer vos communications en adaptant celles-ci aux caractéristiques principales que vous présente votre interlocuteur.

En commençant cette pratique dans des négociations quotidiennes de moindre importance (avec votre conjoint, vos enfants, vos amis, vos parents et vos collègues de travail), et ce, de façon consciente, vous pourrez rapidement améliorer de beaucoup votre capacité de reconnaître les traits de personnalité et adapter votre communication à celle-ci.

En ce faisant, vous deviendrez en même temps plus attentif à la communication, ce qui vous permettra d'accroître de beaucoup vos facteurs de succès dans la négociation.

CONCLUSION

LES DIRIGEANTS DE DEMAIN SERONT AVANT TOUT DE BONS NÉGOCIATEURS

Le développement extrêmement rapide de la technologie sous toutes ses formes nous amène presque tous et toutes aujourd'hui à devoir interagir avec un appareil ou des appareils électroniques.

De fait, il apparaît de plus en plus évident que la capacité d'interagir avec un ordinateur constituera un prérequis à la plupart des emplois disponibles d'ici l'an 2000.

Aussi, la prochaine génération sera-t-elle de plus en plus formée à interagir avec un ordinateur et avec d'autres appareils électroniques et l'on peut déjà envisager qu'une partie importante des fonctions aujourd'hui accomplies par la plupart d'entre nous le seront avec l'aide d'un ordinateur d'ici la fin de la décennie.

Bien que ceci représente sans aucun doute une évolution fort importante qui présente plusieurs aspects positifs majeurs, elle entraîne cependant, et surtout pour la prochaine génération, le risque important de diminuer la capacité de communication entre les humains et, d'autant, la capacité de bien négocier.

En effet, le type de communication que l'on a avec un ordinateur est fort différent du type de communication de la rencontre dans une négociation.

Or, plus de temps passerons-nous devant un écran cathodique, moins de temps consacrerons-nous à des échanges entre humains et plus l'habileté à bien communiquer avec un être humain sera réservé à un nombre de plus en plus restreint d'entre nous.

Sur un autre plan, cependant, la direction d'une entreprise (qu'elle soit privée ou publique) nécessite de la part du dirigeant cette capacité de bien diriger les ressources de son entreprise vers l'atteinte d'un but commun.

Aussi, le dirigeant sera-t-il celui ou celle qui aura la capacité de bien communiquer et de rassembler autour d'un objectif commun tous ceux qui doivent travailler (autant à l'intérieur qu'à l'extérieur) au succès de l'entreprise qu'il dirige.

Aussi, la capacité de négocier (c'est-à-dire de bien communiquer dans le but d'atteindre un objectif) peut-elle devenir, dans le contexte d'un monde de plus en plus informatisé et robotisé, la qualité majeure qui distinguera les personnes qui seront appelées à diriger les entreprises, les gouvernements et les sociétés de celles qui travailleront à des fonctions essentiellement techniques.

Dans ce contexte, l'adoption de techniques de communication et de négociation, lesquelles ne font malheureusement pas partie du bagage didactique de la plupart d'entre nous, pourra devenir un facteur important dans notre capacité de bien diriger nos affaires autant personnelles que professionnelles.

J'ai donc tenté, dans le présent livre, de vous livrer certains rudiments de cette science et de cet art que constitue la négociation.

Cependant, comme je l'ai mentionné dans l'introduction, la négociation ne peut s'apprendre seulement dans un livre comme l'on peut apprendre à faire fonctionner un ordinateur.

Comme il s'agit à la fois d'une science humaine et d'un art, la meilleure façon de bien l'assimiler consiste à le pratiquer et à être conscient, au fur et à mesure que nous fonctionnons dans des contextes de négociation, de nos forces et de nos faiblesses ainsi que de nos bons coups et de nos erreurs.

À cet égard, la négociation peut présenter certaines similitudes avec le sport où il convient d'assimiler une bonne technique de base souvent apprise par un instructeur ou par des livres puis d'apprendre à bien utiliser cette technique par la pratique continue et régulière du sport tout en se permettant de temps à autre ce détachement qui consiste à bien analyser et prendre conscience de nos erreurs et de nos succès de façon à pouvoir mieux éviter les erreurs et répéter les succès.

Ce livre vous serait donc entièrement inutile si, après l'avoir lu, vous le replacez sur la tablette d'où il provient. Par contre, il pourra vous être fort utile si vous choisissez volontairement de modifier votre comportement afin d'adopter une approche de négociation coopérative et que vous soyez prêt à faire les efforts nécessaires pour mieux préparer et planifier vos négociations en tentant d'en arriver à des solutions qui répondent aux intérêts véritables des parties en cause.